LA FRANCE MODERNE :
L'ESPRIT DES INSTITUTIONS

DENIS RICHET

La France Moderne :

L'ESPRIT
DES
INSTITUTIONS

FLAMMARION

Collection dirigée par
Joseph GOY

AVANT-PROPOS

DÉFINITIONS, PÉRIODISATION
ET PROBLÉMATIQUE

Consacrer un petit livre à l'Esprit des Institutions de la France Moderne impose, au départ, un certain nombre de définitions élémentaires et donc de choix — et la justification de ce qui a été retenu pour essentiel.

I. — *Pourquoi l'Esprit des Institutions ?*

A ouvrir les dictionnaires, à suivre l'emploi qu'en font quotidiennement juristes, hommes politiques, journalistes ou historiens, le mot « institutions » revêt trois significations d'ampleur très inégale.

Pour les juristes, les historiens du droit et certains attardés de l'histoire traditionnelle, les Institutions couvrent l'ensemble des lois, des règlements administratifs, des conventions — écrites ou non écrites — qui fixent l'organisation d'un secteur de la vie publique. D'excellents ouvrages (1) ont été et sont encore consacrés à telle ou telle de ces institutions — qu'il s'agisse des finances ou de l'armée — ou à telle période de leur développement. En reprendre l'exposé nous aurait conduit à des redites, et surtout à nous enfermer dans une conception très restrictive du problème.

---

(1) Désormais tous les noms cités (auteurs et ouvrages) renvoient aux notes qui suivent l'Avant-Propos. Ces notes, comme celles qui suivront les trois parties du fascicule sont conçues de façon à permettre au lecteur de trouver aisément le développement de thèmes qui ne sont ici que brièvement évoqués.

L'immense majorité de nos concitoyens — disons : des hommes du xxe siècle — englobent sous ce vocable une réalité plus limitée mais plus éminente : les institutions, selon le petit dictionnaire « Larousse », ce sont les Lois fondamentales, la constitution, rédigée ou coutumière, qui régit un État. Quand l'article 16 de la constitution de la Ve République française permet au Président de la République de détenir provisoirement tous les pouvoirs si « les institutions sont menacées », nous sommes dans le domaine du constitutionnel. Bien entendu, nous aurons, puisqu'il s'agit de la France Moderne, à nous intéresser à cet aspect capital des réalités du temps, mais en nous refusant aux limitations qu'il implique : la loi, pour être fondamentale, ne peut être abstraite de l'environnement spirituel et politique, intellectuel et social, économique ou religieux, qu'elle a pour fonction de refléter mais aussi d'influencer.

Reste alors le sens très large — et très historique — que les hommes des Lumières accordaient au mot. Ouvrons l'édition de 1798 du *Dictionnaire de l'Académie Française* : « Tout ce qui est d'institution humaine est sujet au changement ». Nous voici situés en plein cœur du propos de ce petit livre : dépister les évolutions derrière la façade abstraite des textes ou la grisaille des bureaux, relier l'histoire des lois et des règlements à la vie mouvante de la société et de l'État, nous intéresser moins aux institutions en elles-mêmes qu'à leur Esprit, c'est-à-dire à leur logique et à leur cohérence historiques.

II. — *Pourquoi la « France Moderne » ?*

Sans entrer encore dans les problèmes complexes que pose le découpage en « tranches » chronologiques de ces trois siècles, il nous faut réfléchir sur ce qui légitime leur unité, et sur les dénominations qui en ont été proposées. Nous disposons, en fait, de trois étiquettes qui s'inspirent, chacune à sa façon, d'idéologies datées, et dépassées.

• La marque la plus répandue, en France et à travers le monde, est celle d'*Ancien Régime*. C'est un concept qui est né dans les brochures précédant et accompagnant la Révolution, et dont Alexis de Tocqueville (2) a assuré, par son grand livre, la consécration et la gloire. Il continue à être largement utilisé (3) et même élargi puisque l'on parle, avec Labrousse (4), d'un « ancien régime économique » et, avec Goubert (5), d'un « ancien régime démographique ». Dans la mesure où il nous permet de prendre conscience de tout ce qui sépare les sociétés traditionnelles (6) de celles que nous connaissons, ce concept a son utilité. Mais, puisqu'il est attaché à un pays donné — la France — puisqu'il recouvre trois siècles — XVIe, XVIIe, XVIIIe — on peut mettre en doute sa validité pour au moins trois raisons.

— La formulation, en elle-même, est uniquement négative. Définir comme « ancien » ce qui précède la société bourgeoise, libérale et industrielle du XIXe siècle, c'est, comme le dit très bien Chaunu (7), « définir un existant, un présent, un réel, par un futur ». Procédé que Vilar (8) a justement reproché, de son côté, à Rostow lorsque celui-ci caractérise la société traditionnelle par l'*absence* des éléments que l'on trouve dans la société industrielle. N'est « ancien » que ce que l'on ressent comme tel : on tentera plus loin de dater ce moment.

— « Ancien » et « nouveau » supposent implicitement qu'on admet la coupure radicale qu'aurait opéré la Révolution. Tout se passe comme si les événements, limités et contingents, de 1789-93 avaient imposé une césure décisive entre un « avant » et un « après ». Ce qui revient, contre Tocqueville et contre l'historiographie la plus récente (9), à privilégier l'explosion révolutionnaire par rapport aux facteurs de continuité. Le mythe de la « table rase » est pourtant le modèle le moins opératoire que puisse utiliser l'historien.

— Peut-on définir un mouvement par son seul point d'aboutissement ? Décrire une *totalité* — disons : la période qui va du XVe au XVIIIe siècle — par le moment où elle se dissout, dans les consciences puis dans les institutions ? Il s'agit là d'une illusion rétrospective — celle des hommes de 89 — abusivement accréditée par les historiens des XIXe et XXe siècles.

Née de l'historiographie libérale et révolutionnaire, l'image de l'« Ancien Régime » n'est qu'une esquisse vague dépourvue de toute fermeté dans la couleur, de toute rigueur dans le dessin.

• L'historiographie marxiste, enfant prodigue de l'historiographie libérale, nous propose des définitions en apparence plus rigides, mais à la lumière de l'expérience, tout aussi sommaires. Il peut sembler, du reste, paradoxal qu'à l'intérieur de la périodisation globale

de l'histoire esquissée par Marx (10), la période qui
nous intéresse ait droit à une relative spécificité. N'appar-
tient-elle pas à cette « troisième étape » que Marx a
baptisée « féodalisme », dont la naissance aurait corres-
pondu à la « décomposition de la société esclavagiste »,
et qui n'aurait pris fin qu'avec les révolutions « bour-
geoises » du XVIIe siècle anglais et du XVIIIe siècle français ? Or, malgré ce schéma directeur (encore assez
puissant pour que les historiens du XVIIe siècle appartiennent, en Union Soviétique, à la « section » des médié-
vistes), la nécessité d'une datation plus fine s'est imposée.
Des discussions très intéressantes qui eurent et ont
encore lieu entre historiens marxistes de nombreux
pays, on peut, semble-t-il, dégager une voie large et une
voie étroite.

— La voie large, c'est la notion de *Transition du
féodalisme au capitalisme*. Sous ce titre ont paru (11),
il y a une vingtaine d'années, des articles-débats rédigés
par des historiens marxistes anglo-saxons, japonais,
italiens, français et soviétiques. Leur problématique se
rattache à des chapitres bien connus des livres I et
III du « Capital » : il s'agit, comme le tente du reste,
dans une optique radicalement opposée, W. Rostow,
de cerner les formes de passage d'une économie à prépondérance agricole, fondée sur l'auto-consommation
paysanne, le faible degré du développement industriel
et la puissance de la propriété seigneuriale, à une économie capitaliste axée sur le marché, la division du travail, le salariat et la prédominance de la bourgeoisie
industrielle. Comme telle, c'est une problématique très
utile, indispensable même, mais impuissante à rendre
compte de la *globalité* de la période que l'on entend
baptiser et délimiter. Cette notion de « transition »
appelle trois remarques critiques :

1º C'est une notion vague et imprécise : en un sens,
toute époque historique est une époque de transition.
Il n'existe pas, dans l'histoire des sociétés humaines,
des phases nobles et stables qui seraient séparées par
des sortes de *no man's lands* dont la seule fonction
serait de préparer un nouvel accouchement.

2º C'est un concept qui privilégie dans l'évolution
historique l'action des forces économiques : ce qui est
tout à fait naturel à l'intérieur de la vision marxienne,
mais n'appartient encore qu'au domaine du postulat.

3º C'est, en acceptant par hypothèse cette vision

marxienne, la confusion entre deux types d'analyse :
une analyse « généalogique », soucieuse d'isoler et de
décrire dans le passé tels éléments essentiels pour
éclairer une genèse, et l'analyse globale, soucieuse
de ne rien laisser échapper d'une situation historique
donnée. Comme l'ont fort bien montré Althusser et
Balibar (12), Marx ne s'est consacré qu'à la « généalogie
des éléments qui constituent la structure du mode de
production capitaliste ». Ils précisent : « l'histoire esquissée
des différents modes de production est... plutôt
qu'une véritable histoire de leur succession et de leur
transformation, un *sondage* historique ».

— La voie étroite, suivie par des historiens soviétiques,
plus léninistes que marxistes, c'est la formule
« époque de la monarchie *féodalo-absolutiste* » qu'emploie
notamment Boris Porchnev (13) pour la France du
XVIIe siècle. Pour eux, l'essence de la société reste féodale,
comme au XIIe siècle, mais la rente foncière féodale
(c'est-à-dire le surplus de travail extorqué à la paysannerie)
est centralisée au moyen de l'impôt royal. De même
que « l'impérialisme » représentait, selon Lénine, le
« stade suprême » du capitalisme — sa dernière étape
avant la révolution socialiste — de même l'absolutisme
représenterait la dernière étape de la société féodale
avant la révolution bourgeoise. De la sorte est ainsi
sauvegardée, à l'intérieur de la périodisation héritée
de Marx, la spécificité des XVIe, XVIIe, XVIIIe siècles.
Mais à quel prix ? On suppose comme admis le postulat
selon lequel est « féodale » toute la société d'avant
1789 : nous reviendrons sur la critique de ce postulat.
On privilégie, assez paradoxalement pour des
marxistes, le facteur politique (l'absolutisme). N'est-ce
pas retomber, par ce biais, dans les myopies de l'historiographie
libérale post-révolutionnaire ?

— Car entre ces deux courants, entre les nostalgiques
du libéralisme et les nostalgiques de Marx, les affinités
sont plus grandes qu'il ne paraît. Sans doute les premiers
n'acceptent-ils pas sans réticences le primat accordé par
les seconds à l'infrastructure économico-sociale. Sans
doute réservent-ils le mot « féodaux » aux seuls rapports
issus du fief (c'est-à-dire concernant vassaux et suzerains)
et refusent-ils — en conformité avec le droit
ancien — de l'étendre à toutes les relations sociales dominées
par la noblesse, ce que faisaient les hommes de
1789, ce que font encore les marxistes. Mais ces con-

trastes sont moins saisissants que les continuités. Dans l'un et l'autre courants, la fascination du *terminus ad quem*, c'est-à-dire de la Révolution de 1789, conduit à ordonner un matériau de trois siècles par rapport à une explosion, capitale certes, mais portant la marque du contingent et de l'exceptionnel. Dans l'un et l'autre cas, une philosophie finaliste (14) préjuge de l'analyse historique.

— A l'inverse les expressions *Temps Modernes*, *Époque Moderne* ou *France Moderne* se réfèrent plus à un point de départ qu'à un point d'arrivée. Après Michelet et Burckhardt (dont la *Civilisation de la Renaissance* date de 1860), l'on s'enthousiasma pour les audaces et les nouveautés du XVe siècle finissant et du XVIe. Le titre d'un livre d'Henri Hauser paru en 1901 — « La Modernité du XVIe siècle » — traduit fort bien cette étape historiographique, dont l'enseignement universitaire français a hérité ses structures. Si nous avons ici décidé de conserver l'étiquette, ce n'est pas sans avoir conscience des postulats sous-jacents qu'elle implique, elle aussi, ni sans devoir mettre en garde les lecteurs contre les pièges qu'elle présente. Elle risque, comme les deux précédentes mais en sens inverse, de nous faire glisser dans l'anachronisme en baptisant « modernes » des phénomènes qui, correctement étudiés, se révèlent — en dépit des apparences — fort différents de ceux dont nous avons l'expérience. Lucien Febvre a mené naguère un combat salutaire contre ce danger (15). Elle tend à polariser sur une rupture — rupture avec le Moyen Age — un potentiel de mutations qui ont duré trois siècles. Mais elle préserve le foisonnement réel des courants, l'éventail des virtualités qui se sont présentées, au lieu de mutiler toutes celles qui ne s'intègrent pas dans l'issue finale.

III. — Modernité et Modernités

Si aucune des dénominations précédentes ne nous paraît satisfaisante, c'est sans doute parce qu'elles supposent toutes l'unité de la période envisagée alors que l'histoire est faite de multiples temps aux rythmes inégaux ; elle est d'une épaisseur dont les niveaux n'obéissent pas à la même durée. Fernand Braudel (16) a fort bien éclairé cette discontinuité en distinguant ce qui est structure, ce qui est conjoncture longue, ce qui ressort de l'événementiel. Quelles que soient les critiques philosophiques que suscitent ces efforts de périodisations différentielles (17), ils s'imposent à l'historien soucieux d'articuler entre elles les diverses instances en mutation qui constituent l'histoire globale.

S'agissant de la France moderne, cette articulation n'est pas aisée. Pour mieux faire saisir ces difficultés, on partira des périodisations traditionnelles, fondées sur une histoire strictement politique, pour esquisser ensuite les périodisations sectorielles que nous proposent les plus récents travaux d'histoire économique, démographique, intellectuelle ou religieuse, ébaucher enfin — à titre d'hypothèse — une périodisation globale.

— Parmi les périodisations traditionnelles, deux surtout l'ont longtemps emporté. L'une, strictement chronologique, consiste à découper mathématiquement le calendrier grégorien en tranches rigoureuses (siècles, demi-siècles, etc.). On comprend aisément qu'un tel procédé soit dépourvu de toute capacité synthétique. Parler d'un XVIIe siècle qui a commencé le 1er janvier 1600 et s'est achevé le 31 décembre 1699 ne nous aide nullement à retrouver le temps vécu avec ses continuités et ses discontinuités. L'autre périodisation, strictement française, qu'on retrouve dans de nombreux manuels (18), consiste à suivre les articulations des règnes. Comme l'a écrit plaisamment Pierre Goubert : « Les cadavres des rois de France fournissent de bonnes frontières chronologiques. » Une telle coupure peut avoir son utilité sur le plan étroitement politique. Mais outre le fait qu'elle interdit les rapprochements à l'échelle européenne, voire mondiale, elle est incapable de rendre compte du rythme réel de phénomènes économiques ou intellectuels.

— Or c'est précisément dans ces domaines que notre vision du temps passé s'est le plus renouvelée depuis quarante ans. Dans le sillage ouvert par Simiand (19) et Labrousse (20), historiens économistes et démographes ont mis en lumière deux notions fondamentales. D'une part l'existence d'une *structure* qui prend ses racines bien avant le XVIe siècle et se prolonge au XIXe. « Économie d'ancien type » (21) qui se caractérise par la prépondérance écrasante de l'agriculture céréalière, par une très forte auto-consommation, par la violence des crises cycliques dues à l'irrégularité des récoltes, etc. « Ancien

régime démographique » (22), où de très fortes mor-
talités endémiques et cycliques, compensent de très
fortes natalités. Bref, le monde décrit par Malthus (23)
et analysé par Le Roy Ladurie (24), où l'accroissement de la population tend périodiquement à se heurter
à l'inexorable plafond des subsistances. D'autre part
une *conjoncture* qui est faite de rythmes inégaux : un
rythme séculaire orienté soit à la hausse des prix, des
revenus, des activités, du nombre des hommes (phases
« A ») soit à la baisse lente et à la dépression (phases « B »),
un rythme trentenaire et un rythme décennal. Sans
entrer dans les débats et les contestations que suscite
cette périodisation (25), on est tombé à peu près d'accord
pour diviser notre période en trois grandes phases :

1) Un long « XVIe siècle » de 1450-60 environ jusque
très avant dans le XVIIe siècle, phase de hausse et de
progrès ;

2) Une période d'étiage, de stagnation, voire de recul,
qui nous conduit de 1640 ou 1680 (selon les régions)
aux années 1740-50 ;

3) La reprise du mouvement ascendant dans la seconde
moitié du XVIIIe siècle.

— De leur côté les historiens des idées et des mentali-
tés ont modifié la perception traditionnelle d'une
« Renaissance » suivie d'un « Age Classique » précédant lui-même « *les Lumières* ». Moins attentifs que leurs
prédécesseurs au contenu des idées exprimées qu'aux
modifications de la lecture du monde et de l'« outillage
mental » (26), Chaunu (27) et Mandrou (28) situent la
coupure essentielle entre les années 1620-1640 et les
années 1680, entre le *Discours de la méthode* de Descartes (1636) et les *Principia* de Newton (1687). C'est
la fin du cosmos aristotélicien, l'avènement d'une nature
fondée sur le vide et lisible mathématiquement, l'affirmation de la méthode expérimentale. Véritable frontière
qui sépare ce que Mandrou appelle les deux *modernités*,
tandis que Chaunu conserve l'étiquette « classique »
pour la seconde phase. Acceptons cette coupure sous
deux réserves : elle n'intervient que dans les *élites*
pensantes et laisse de côté, dans un premier temps, les
masses, elle tend à minimiser une autre coupure, celle
des années 1750, pourtant capitale pour comprendre
la genèse de la pensée libérale.

— Sur le plan des masses, c'est sans doute dans le
domaine de l'histoire religieuse et de l'immense champ de

croyances, de pratiques, de comportements collectifs qu'il recouvre, que nous pouvons le mieux situer continuités et ruptures. Les réformes du XVIᵉ siècle — luthérienne, calviniste, et tridentine — traduisent, par delà l'opposition des dogmes et des courants théologiques, une tentative commune et gigantesque d'*acculturation*. Menée par des élites, ecclésiastiques et laïques, cette tentative, plus précoce en terre protestante (29) qu'en pays catholique (30), se heurta longtemps à la résistance obstinée des masses à qui l'on prétendait arracher leur culture, leur équilibre mental traditionnel, leurs fêtes, et jusqu'à leurs fous (31). Là encore, c'est entre 1640 et 1680 que la partie est gagnée, au moment où se prépare, mais dans les élites, la déchristianisation.

— Peut-on, dans ces conditions, esquisser une périodisation *globale?* Avec beaucoup de prudence, on peut accepter le schéma suivant :

— *Une première modernité,* qui commence vers 1450 et se poursuit au moins jusqu'en 1640, sinon 1680 (selon les régions et selon les secteurs). Puissante expansion démographique, progrès de l'économie de marché, réforme des églises, conquête de l'état centralisé par la bourgeoisie d'offices en passe de devenir une noblesse. Mais aussi maintien des vieilles techniques d'occupation du sol, plafonnement des subsistances, résistance des vieilles structures mentales.

— *Un Age classique,* qui dure moins d'un siècle, et où les contrastes sont saisissants. Age « tragique »? Oui, si l'on songe à la météorologie maussade, aux catastrophes démographiques qu'elle entraîne, au poids brutal des ponctions fiscale et seigneuriale sur un revenu paysan alangui, à la destruction surtout de l'équilibre mental traditionnel par les missionnaires de l'État et de l'Église tridentine. Mais les mutations décisives se produisent dans la remise en cause du cosmos, tandis que se préparent celle de la Religion et de l'État. En même temps celui-ci acquiert une efficacité plus grande.

— *Une Étape des Lumières* qui commence vers 1750 pour s'achever bien après la Révolution de 1789. Étape véritablement révolutionnaire, dans le domaine intellectuel d'abord, mais aussi dans bien d'autres secteurs. S'il n'y eut ni « révolution industrielle » — comme dans l'Angleterre voisine — ni « révolution agricole » (33), la France put nourrir, pour la première fois dans son histoire, un excédent de population (six millions d'habitants) et connaître une croissance économique, quantitativement comparable à celle de la Grande-Bretagne (34). Une société nouvelle est en train de naître qui cherchera, à travers les révolutions et les changements de régime du XIXe siècle, la forme politique qui lui convient le mieux.

Abandonnons à d'autres cette société nouvelle pour exercer notre diagnostic sur celle qu'elle a remplacée. C'est tout un système qu'il nous faut décrire, en tentant de le décomposer comme on décompose un modèle. Sur quels *fondements* juridiques et théoriques reposait-il ? Comment évolue sa *pratique ?* Quand et sous quelles formes entra-t-il en *crise ?* Telles sont les trois questions fondamentales auxquelles on s'efforcera de répondre.

NOTES DE L'AVANT-PROPOS

(1) Parmi les plus utiles :
— Olivier MARTIN. — Histoire du droit français (Paris, 1948);
— Gabriel LEPOINTE. — Histoire des Institutions et des faits sociaux (Paris, Éditions Montchrestien, 1963);
— Jacques ELLUL. — Histoire des Institutions de l'époque franque à la Révolution (Paris, P.U.F. 1963);
— Jean IMBERT, Gérard SAUTEL et Marguerite BOULET-SAUTEL. — Histoire des Institutions et faits sociaux X^e-XIXe siècles (recueil de textes et documents, Paris, P.U.F. 1961);
— R. DOUCET. — Les Institutions de la France au XVIe siècle (2 volumes, Paris, A. Picard, 1948);
— R. MOUSNIER. — La plume, la faucille et le marteau (recueil d'articles, Paris, P.U.F., 1970);
— P. GOUBERT. — L'Ancien Régime (tome I, Paris, A. Colin, collection U, 1969); (tome II, Paris, A. Colin, 1973);
— G. DURAND. — États et Institutions XVIe-XVIIIe siècles (Ibidem, 1969).

(2) A. DE TOCQUEVILLE. — L'Ancien Régime et la Révolution (à consulter dans l'Édition Gallimard, 2 vol., 1965).

(3) GOUBERT. — (cf. note 1) et MÉTHIVIER. — L'Ancien Régime (P.U.F., collection « Que sais-je? »).

(4) E. LABROUSSE. — La crise de l'économie française à la fin de l'Ancien Régime (Paris, P.U.F. 1944).

(5) GOUBERT. — Beauvais et le Beauvaisis au XVIIe siècle (Paris, S.E.V.P.E.N., 1960; édition abrégée : Cent mille provinciaux au XVIIe siècle, Paris, Flammarion, 1969).

(6) Cf. W. ROSTOW. — Les étapes du développement économique (Paris, le Seuil, 1963).

(7) P. CHAUNU. — La Civilisation de l'Europe classique (Paris, Arthaud, 1966).

(8) P. VILAR. — « Quel avenir attend l'homme? » (Paris, P.U.F., 1962).

(9) F. Furet et D. Richet. — La Révolution Française (2 vol., Paris, Réalités, Hachette, 1965). (réédition sans illustrations, Paris, Fayard, 1973).

(10) Marx. — Contribution à la critique de l'Économie politique (1859).

(11) The Transition from feudalism to capitalism. — A. Symposium (Londres, 1954).

(12) Louis Althusser et Étienne Balibar. — Lire le Capital (Paris, Maspero, 1968).

(13) B. Porchnev. — Les soulèvements populaires en France de 1623 à 1648 (Paris, S.E.V.P.E.N., 1963).

(14) F. Furet. — Le catéchisme révolutionnaire, article dans Annales E.S.C., 1971, n° 2.

(15) Lucien Febvre. — Le problème de l'incroyance au XVIᵉ siècle (Paris, Albin Michel, 1944).

(16) F. Braudel. — La Méditerranée et le monde méditerranéen à l'époque de Philippe II (Nouvelle Édition, A. Colin, 1966).

(17) Althusser et Balibar. — Voir note 12.

(18) Cf. les livres de Méthivier dans la collection « Que sais-je ? » :
— Le siècle de Louis XIII (1964);
— Le siècle de Louis XV (1966).

(19) F. Simiand. — Recherches anciennes et nouvelles sur le mouvement général des prix (Paris, Domat-Montchrestien, 1932).

(20) E. Labrousse. — Esquisse du mouvement des prix et des revenus en France au XVIIIᵉ siècle (Paris, Dalloz, 1933).

(21) Ibidem.

(22) P. Goubert. — Voir note 5.

(23) Malthus. — Essai sur le principe de population (1789) (à consulter dans la traduction française parue chez Seghers, 1963).

(24) E. Le Roy Ladurie. — Les Paysans de Languedoc (Paris, S.E.V.P.E.N., 1966. Édition abrégée : Paris, Flammarion, 1969).

(25) D. Richet. — Croissance et blocages en France du XVᵉ au XVIIIᵉ siècle, article dans Annales E.S.C. avril-juin 1968.

(26) Voir note 15.

(27) Voir note 7.

(28) R. Mandrou. — Histoire de la Civilisation française (1957);
— Introduction à la France Moderne (Paris, Albin Michel, 1961);
— Les XVIᵉ et XVIIᵉ siècles (« Nouvelle Clio », P.U.F., 1971).

(29) E. Le Roy Ladurie. — Voir note 24.

(30) Jean Delumeau. — Le catholicisme entre Luther et Voltaire (« Nouvelle Clio », P.U.F., 1971).

(31) Michel Foucault. — Histoire de la folie à l'âge classique (Paris, Plon, 1961).

(32) R. MANDROU. — Voir note 28.

(33) M. MORINEAU. — Les faux semblants d'un démarrage économique (Cahier des Annales, 30, Paris, A. Colin 1971).

(34) F. CROUZET. — La croissance économique en Angleterre et en France au XVIIIe, article dans *Annales* E.S.C. mars-avril 1966.

Livre I

LES FONDEMENTS DU SYSTÈME

DROIT ET SOCIÉTÉ, HIER ET AUJOURD'HUI

Pourquoi aborder la France Moderne par le biais de son droit public? Disons le d'entrée de jeu : ce n'est nullement — et les pages qui suivent le confirmeront — qu'on surestime l'influence du droit dans les facteurs de l'évolution historique. C'est simplement parce que la lecture de ce passé, à la fois si lointain et si proche, est impossible sans ce cheminement initial. Mais deux précautions sont nécessaires : garder présentes à l'esprit les différences fondamentales entre *hier* et *aujourd'hui*, entre ce qu'était dans l'Ancienne France le droit public dans ses rapports avec la société et l'État, et ce qu'il est dans nos sociétés contemporaines, ne pas tomber pour autant dans la tentation facile qui consiste à tellement exagérer ce contraste que les éléments de continuité finissent pas s'estomper.

— Quand on lit les textes juridiques ou politiques des XVIe et XVIIe siècles à partir de notre expérience vécue d'hommes du XXe siècle, notre « grille » risque d'être déformante, au moins pour trois raisons.

• Alors que nous vivons, depuis au moins cent cinquante ans, sur des textes codifiés, des constitutions écrites (que celles-ci soient faites d'une seule rédaction ou d'un corpus de textes élaborés à des époques diverses), ce qui dominait dans l'Ancienne France, non seulement dans le droit privé (ce qui est bien connu) mais aussi dans le droit public, c'était la *coutume*. Née dans l'anarchie féodale des Xe et XIe siècles comme processus spontané entre des groupes d'hommes cherchant à se donner en commun un certain nombre de règles, la coutume avait sans doute reculé dans le domaine du droit public devant l'intervention législative des rois. Mais, même en ce domaine, elle conservait — on le verra à propos des « lois fondamentales » — un rôle très important, celui d'un indispensable système de références et de justifications.

• Droit *public* et droit *privé* constituent aujourd'hui deux secteurs parfaitement distincts. En était-il de même avant le Code civil ?

Les historiens du droit (1) répondent fréquemment que, si avant le XVIe siècle la confusion des deux secteurs était de rigueur dans la législation royale, la distinction serait apparue nettement lors de la rédaction des coutumes (fin XVe-début XVIe siècle). Au roi l'administration, la « police », aux habitants des provinces, leur coutume, c'est-à-dire leur droit privé. Que le besoin d'une telle distinction ait été ressenti par les juristes, c'est certain. Mais jusqu'en 1789, elle n'a jamais triomphé : il suffit de lire les cahiers de doléances de 1576 ou de 1614, d'étudier les grandes ordonnances comme celles de Blois (1579) pour s'en convaincre.

• Notre droit contemporain est, pour l'essentiel un droit *commun* : il s'applique, sauf dérogations exceptionnelles, à tous les citoyens et à toutes les circonscriptions administratives. Jusqu'en 1789, c'est l'inverse qui est vrai : le droit commun était borné dans d'étroites limites par le *privilège*. Car le privilège n'était pas, contrairement à une légende tenace, un avantage exorbitant consenti au seul clergé et à la seule noblesse. L'État tout entier s'était bâti, au cours des âges, sur de multiples contrats, écrits ou non écrits, qui liaient le roi et un certain nombre de groupements professionnels ou géographiques (villes et provinces). Ces contrats conféraient aux parties intéressées des garanties qui limitaient singulièrement la sphère d'application de la législation commune.

La tendance constante de la monarchie fut moins à supprimer les privilèges qu'à y insérer sa propre autorité.

— Ces différences sont importantes. Leur perception a cependant conduit certains historiens à généraliser abusivement les leçons tirées de la connaissance du droit, et à bâtir un modèle de société d'« Ancien Régime » radicalement différent des modèles contemporains. Roland Mousnier surtout s'est plu, dans de nombreux travaux (2), à dresser l'image d'une société « d'ordres et d'états » aussi différents des « sociétés de classes » que des « sociétés de castes ». Outre les inquiétudes que suscitent les « théories » sociologiques sur lesquelles il s'appuie (3), ce modèle, sur lequel on reviendra plus loin, se heurte à de nombreuses objections de caractère historique. N'existe-t-il pas, au-delà de la division tripartite des ordres, héritée du vieux fonds indo-européen (4), une hiérarchie occultée bipartite — dominants et dominés, ville et campagne — fondée sur la rente foncière (5) et la conscience socio-culturelle d'appartenir à l'élite (6)? Si le droit est un reflet de la société, c'est toujours un reflet déformé. Nous retrouverons ces problèmes.

SOURCES ET ÉVOLUTION DU DROIT PUBLIC

I. — Les Antécédents

Seul un artifice d'écriture autoriserait une lecture de la France Moderne à partir d'un xve siècle finissant. Pour comprendre l'évolution du droit public, il est indispensable de revenir aux sources, de rappeler brièvement comment et pourquoi s'est progressivement affirmée la puissance législative du roi de France. Dans l'anarchie des xe et xie siècles, les souverains avaient perdu le pouvoir de prendre des mesures générales. Période de confusion juridique où s'affirme la coexistence de trois sources de droit : la coutume, le pouvoir législatif seigneurial (qui s'exerçait essentiellement par les *chartes*, c'est-à-dire des concessions contractuelles de privilèges à des groupes d'habitants) et le droit canonique, qui tirait de la prépondérance des juridictions ecclésiastiques un expansionnisme conquérant.

Progressivement, à partir du xiie siècle, tout change. En matière publique s'affirme et s'impose la législation royale.

— *Comment ?* Dès la seconde moitié du xiie siècle (le premier acte daterait de 1155), le roi use du « ban royal ». Il fait des « établissements » (règles de droit impliquant durée et stabilité) qui permettent de confirmer des coutumes ou d'y déroger. Deux conditions sont exigées. L'une, purement théorique, tient aux motivations de l'acte : il faut que la décision soit prise « pour le commun profit », c'est-à-dire soit utile pour le royaume. L'autre — bien plus contraignante — est

que le roi ne peut trancher que « par grand conseil »,
donc avec l'assentiment des barons qui ne font exécuter
l'acte que s'ils ont été présents lors de sa confection.
Au XIIIᵉ siècle, on assiste à un double progrès. L'autorité
royale n'a plus besoin, au moins dès 1223, de l'assentiment du Grand Conseil pour exiger le respect de ses
ordonnances. Et en 1283, le juriste Philippe de Beaumanoir, qui édite les coutumes de Beauvaisis, élabore
une *théorie* du pouvoir législatif royal fondée à la fois
sur le droit canon et sur le droit romain. Sans doute
Beaumanoir borne-t-il la puissance du roi aux limites
dont nous parlerons plus loin. Mais il affirme que pour
tous les cas non prévus par la coutume, le roi, qui a
« la garde générale du royaume » peut faire de « nouveaux
établissements », soit des ordonnances d'application
générale. Aux XIVᵉ et XVᵉ siècles cette conquête juridique de la monarchie subit les vicissitudes liées aux
événements politiques. Dans l'ensemble cependant
elle se poursuivit victorieusement, au point que la men-
tion même du Grand Conseil disparut des textes d'ordonnances. Dès lors — et cet acquis sera définitif jusqu'en 1789 — juristes et théoriciens considèrent comme
intangible le principe selon lequel le pouvoir de faire
des lois est l'attribut essentiel de la souveraineté monarchique. L'ordonnance royale est devenue l'essentiel
du droit public commun.

— *Pourquoi* cette évolution ? Pour bien l'interpréter,
il faudrait rappeler l'ensemble des données politiques
européennes, des tendances économico-sociales et des
facteurs religieux qui ont favorisé, à l'ouest de l'Europe,
la montée du pouvoir royal. Ceci déborderait le cadre
de ce fascicule.

Contentons-nous de souligner ce qui a facilité, positivement et négativement, l'évolution du droit public.
Négativement, trois éléments. Déclin de la législation
seigneuriale — sauf en Bourgogne et en Bretagne — qui
se cantonne de plus en plus dans des règlements administratifs mineurs. Tendance des coutumes à se res-
treindre au domaine du droit privé. Recul de la sphère
d'application du droit canonique ; mais ici une précaution s'impose. Trop d'historiens du droit nous ont dit
que le droit canon a été progressivement « remplacé »
par un droit ecclésiastique gallican d'émanation royale.
En fait, en ce qui concerne la discipline et l'organisation
du corps ecclésiastique (le clergé), en ce qui concerne

également les matières spirituelles, le droit canon est
resté vivant jusqu'à la Révolution : les rois de France
se sont contentés de reprendre à leur compte, sous
leur autorité, les dispositions prévues par les Papes et
les conciles. Seul le domaine de la « police » ecclésiastique — des rapports entre l'État et l'Église — a subi
leur empreinte particulière. Positivement ont joué
comme étais du pouvoir royal le développement des
études de droit romain et la jurisprudence élaborée
par les États Généraux et le Parlement de Paris. L'assi-
milation par les légistes de la notion romaine d'« imperium » — puissance absolue du titulaire de l'Empire
romain sur les sujets — aux pouvoirs, à l'origine limités
et balbutiants, du petit roi de France contribua puis-
samment à l'extension de son autorité. Au point même
que la théorie fut longtemps en avance sur la pratique,
que les juristes, en définissant leur idéal, dépassaient
les objectifs plus médiocres que Capétiens directs
et Valois (7) s'efforçaient d'atteindre. Or les juristes
et leur cohorte de vulgarisateurs dominaient États
Généraux et Parlement. Bien des ordonnances furent
élaborées à partir des vœux exprimés par les États.
Quant aux jugements que le Parlement de Paris rendait,
ils créaient une jurisprudence essentielle pour la constitution d'un droit public fondé sur l'ordonnance
royale.

— Dès cette époque pourtant — je veux dire :
avant la fin du XVe siècle — même les plus serviles parmi
les théoriciens de la monarchie absolue s'accordaient
à *limiter* — du moins sur le plan idéologique — le pouvoir législatif au roi. Comme ces limites n'ont cessé
d'être mentionnées jusque vers 1750, comme elles
continuent à hanter la conscience de certains historiens,
il n'est pas inutile d'en faire la nomenclature (sans entrer
encore dans les précisions (8)) tout en insistant sur leurs
aspects imprécis et non-contraignants. Admise par
tous : la distinction entre lois *fondamentales* et lois
ordinaires. En 1586, Achille de Harlay, premier président
au Parlement de Paris, explicita fort clairement cette
vieille notion en haranguant Henri III : « Nous avons,
Sire, deux sortes de loix, les unes sont les loix et ordonnances des rois, les autres sont les ordonnances du
royaume, qui sont immuables et inviolables, par lesquelles vous êtes monté au throsne royal. Si devez-vous
observer les loix de l'Estat du royaume, qui ne peuvent

estres violés sans révoquer en doute votre propre puissance et souveraineté » (9). Lois du royaume? Lois fondamentales? Les historiens discutent encore sur leur énumération : nous y reviendrons. Contentons-nous, avec Roland Mousnier (10), de rappeler que ces lois purement coutumières se rattachent à trois sources : des principes chrétiens (le roi de France, par exemple, s'engage par le serment du sacre à lutter contre l'hérésie), des embryons d'un droit naturel non élaboré (le roi *doit* être juste, avoir en vue l'utilité publique, protéger la propriété de ses sujets, etc.), des règles positives enfin, définissant les conditions de la succession du trône, de l'utilisation du domaine royal (11). Mais en dépit des belles affirmations du président de Harlay ces lois « fondamentales » étaient dépourvues de la garantie essentielle qu'offrent nos constitutions contemporaines : aucune *sanction* positive n'était permise contre qui les violait.

Restent les lois ordinaires. En principe — et je suis surtout les juristes méridionaux imbus du droit romain — le roi était ici le seul maître. « *Princeps legibus solutus est* » : c'est la définition étymologique de l'absolutisme. Tous nos manuels ont contribué à nous l'inculquer. Deux réserves, cependant, doivent être présentées. Le Roi de France, à la différence d'un Sultan de Turquie, doit respecter sa propre loi. Au XVIe siècle, Étienne Pasquier (12) tenta de concilier absolutisme et respect par la proposition suivante : les rois « par une bienveillance naturelle qu'ils portent à leurs sujets, réduisans leur puissance absolue sous la civilité de la loy, obéissent à leur ordonnance ». Henri IV est plus affirmatif : « La première loi du souverain est de les observer toutes. » Louis XIV, plus majestueux et plus vague : « La parfaite félicité d'un royaume est qu'un prince soit obéi de ses sujets et que le prince obéisse à la loi. » A entendre les rois et leurs serviteurs, on induirait un peu prématurément (13) de leurs affirmations l'existence d'une contrainte rendant les souverains prisonniers de leur propre législation. Il en va de même pour une règle juridique coutumière qui concerne la *durée d'application* de l'ordonnance. Selon la tradition, une loi ne dure qu'autant que vit le prince qui l'a édictée. Concrètement, cela aurait signifié anarchie et arbitraire : imaginez un héritier léger, ou rieur, qui aurait, en montant au trône, annulé le travail législatif de ses prédécesseurs. L'artifice des juristes consista à considérer comme adhésion tacite la non-révocation par un roi des lois de ses devanciers. Jean Bodin (14) l'exprima fort bien : « Il est bien certain que les lois, ordonnances, lettres patentes des princes n'ont aucune force que pendant leur vie, s'ils ne sont ratifiez par consentement express ou du moins par *souffrance* (15) du prince. »

Fin du XVᵉ siècle : les éléments du droit public commun sont en place. Un roi qui légifère, qui profite du double affaiblissement des prétentions ecclésiastique et seigneuriale à remplir son rôle, qui s'appuie sur la coutume mais en restreint le champ d'application — Un petit monde de légistes, fiers de leur culture, ambitieux d'associer leur fortune et leur carrière à une dynastie menacée mais prometteuse. En face : rien, sinon le vide.

Entrons à présent dans notre modernité pour évoquer les modalités et les résultats de cette législation royale.

II. — Les Modalités

Partons d'une lettre d'un célèbre avocat parisien du XVIᵉ siècle, Étienne Pasquier. « Droit commun de la France — écrivait-il — gist en quatre points ; aux ordonnances royaux, coustumes diverses des provinces, arrests généraux des cours souveraines, et en certaines propositions morales, que par un long et ancien usage nous tenons en foy et hommage du Romain » (16). De ces quatre points, on a vu que le deuxième concernait, pour l'essentiel, le droit privé et que le dernier était, en dernier ressort, davantage une référence qu'une règle. Ordonnances du roi, intervention des Cours souveraines : telles sont les modalités fondamentales du droit public.

— *Le vocabulaire* de l'Ancienne France est tellement riche, en ce qui concerne les actes émanés de l'autorité royale, qu'historiens et étudiants ont du mal à y opérer d'élémentaires classifications. Celles que je proposerai ne sont ni originales — elles doivent l'essentiel aux historiens du droit (17) — ni définitives (il est probable qu'une lecture plus quantitative des textes les rendront caduques). Leur seul mérite sera, je l'espère, d'introduire une certaine lumière dans un monde encore très obscur. Distinguons dans ces actes, la forme et le contenu.

• D'après la forme — signature, sceau, expédition —
trois sortes d'expressions du vouloir royal s'opposent :
lettres patentes, lettres closes, arrêts du Conseil. Les lettres
patentes (ouvertes) étaient prises en Conseil signées par
le roi, revêtues de son sceau, enregistrées par le Parlement. On a tenté (18) d'opposer lettres patentes et
ordonnances, les premières n'ayant été que des actes
individuels ou corporatifs, les secondes des règlements
traitant d'une matière générale. C'est confondre forme
et contenu : les ordonnances, par leur forme, étaient
des lettres patentes. Disons simplement que, parmi
elles, l'habitude se prit, au XVIIᵉ siècle, d'appeler ordonnances les décisions de portée politique, et *mandements*
ou *lettres de sceau* les circulaires administratives, l'équivalent de nos circulaires ministérielles. Les lettres closes
(ou lettres de cachet) étaient expédiées fermées, revêtues du cachet personnel du souverain, non soumise
au sceau royal tenu par la Chancellerie ni à l'enregistrement par les cours souveraines. Destinées à transmettre les ordres particuliers ou secrets, elles étaient
employées aux fins les plus variées, depuis les instructions diplomatiques jusqu'aux mesures d'éloignement
individuel. La légende pré-révolutionnaire a arbitrairement isolé parmi ces lettres de cachet les ordres d'arrestation : une goutte d'eau dans la mer. Mais la forme la
plus commode et la plus rapide de se faire obéir — huit
cent mille actes entre Henri IV et Louis XVI — était
celle des arrêts du Conseil. Point besoin du sceau, ni
du cachet royal, ni de l'enregistrement : on comprend
pourquoi leur emploi s'est développé dès la seconde
moitié du XVIIᵉ siècle.

• D'après le contenu — à qui s'adresse l'acte royal ? —
— la terminologie est plus floue. Au XVIᵉ siècle encore
édit et *ordonnance* se confondent fréquemment. Lentement — et ici encore les mutations décisives datent de la
fin du XVIIᵉ et du début du XVIIIᵉ siècle — s'imposera
une distinction tripartite. Au sens strict, les ordonnances
seront les lois très amples, règlementant au moins un
vaste secteur de la vie publique, sinon réformant l'administration dans un domaine plurisectoriel. L'édit réglera
telle matière, ou concernera telle catégorie de sujets,
ou ne s'appliquera qu'à telle province ou à telle ville.
La *déclaration* (datée du jour de la décision, contrairement aux édits et ordonnances dont on ne connaît
que le mois et l'an) interprète (jurisprudence publique)

ou modifie (c'est un acte réformateur) le droit public
préexistant.

— La *confection* d'une loi mérite également quelque
éclaircissement. Initiative, préparation, rédaction : ce
sont autant d'étapes nécessaires. L'initiative, théoriquement, ressort du domaine exclusif du roi. En fait la
plupart des grandes ordonnances viennent soit des
hauts commis de l'État — le chancelier, le contrôleur
général des finances (19) — soit d'une demande élaborée
par les États Généraux, c'est-à-dire par les notables
assemblés. Premier cas : l'édit de Villers-Cotterets de
1539 (à l'origine : le chancelier Poyet), ceux de Roussillon
(1564) et de Moulins (1566) dus au chancelier Michel
de l'Hospital, les grandes ordonnances de Colbert et du
chancelier d'Aguesseau. Deuxième cas : l'ordonnance
de Blois (1579) qui reprend les vœux exprimés par les
États de 1576. La préparation du texte revenait norma-
lement à une section du Conseil du roi. Mais souvent
on recourait à des commissions spéciales composées de
parlementaires, d'avocats, de techniciens. Ainsi en
usa Colbert pour ses grandes ordonnances de 1667
et de 1670. Ainsi encore Machault d'Arnouville sous
Louis XV. Rédiger et sceller l'acte était l'œuvre de la
Chancellerie. Lors de *l'audience du sceau* le chancelier
pouvait présenter des remontrances au roi et réclamer
un sursis à sceller en attendant la réponse du souverain.
Enfin, une fois scellés, les actes devaient être adressés
aux Parlements pour être enregistrés et publiés. C'est ici
que se pose le problème très débattu du rôle législatif
des Parlements.

— *Les Parlements ?* Il y a bien longtemps que l'on
a opposé de façon stricte les parlements français — au
rôle essentiellement judiciaire — au Parlement anglais,
dont la fonction était essentiellement politique. Opposition très largement fondée : les parlements de France
étaient avant tout des cours d'appel. Mais la séparation
entre justice et législation n'était pas, dans l'Ancienne
France, aussi rigoureuse qu'on le pense. Sans doute,
sur le plan des principes, les rois de France n'ont jamais
accepté que les parlements participent en aucune manière
au pouvoir législatif. En 1766 encore, lors de la fameuse
séance dite de la flagellation, Louis XV le rappelait au
Parlement de Paris : « C'est à moi seul qu'appartient le
pouvoir législatif sans dépendance et sans partage. C'est
par ma seule autorité que les officiers de mes cours

procèdent non à la formation, mais à l'enregistrement, à la publication et à l'exécution de la loi. » En fait cependant les parlementaires intervenaient par plusieurs biais dans les opérations législatives. Trois occasions leur étaient offertes : l'*enregistrement*, les *arrêts de règlement* et les *jugements d'équité*.

• Une ordonnance ne pouvait être appliquée qu'après avoir été enregistrée au Parlement. Comme l'écrivait Étienne Pasquier, « combien que l'ordonnance soit le vray ouvrage de nos roys, non moins souverain dans leur Royaume que les Empereurs dedans leur Empire, toutefois leurs ordonnances n'ont aucun effet qu'elles n'ayent esté premièrement publiées et vérifiées par les cours souveraines ». Ce droit d'enregistrement entraîne *dans la pratique* la possibilité d'exercer une certaine action en matière législative. Il a servi de prétexte à plusieurs reprises (notamment pendant la Fronde et sous le règne de Louis XV (20)) aux prétentions *théoriques* des parlementaires d'exercer un rôle que les rois leur déniaient.

Sur le plan pratique, que se passait-il au XVIe siècle, lors de l'enregistrement d'une ordonnance ? Le texte était publié à l'audience du Parlement et transcrit dans des registres spéciaux. A cette occasion, les conseillers avaient le devoir de vérifier la légalité, l'opportunité, ou l'équité de la mesure prise. S'ils voulaient la modifier ou la rejeter, ils présentaient d'*humbles remontrances*. En ce cas, le Parlement désignait en son sein une commission chargée de rédiger les remontrances. Si le roi n'était pas disposé à les accepter, il renvoyait le texte par *lettres de jussion*. Le Parlement pouvait alors présenter des *remontrances itératives*. Restait au roi le recours suprême : venir en personne au parlement tenir un *lit de justice*, ce qui rendait obligatoire l'enregistrement. Ce système long et complexe provoqua de nombreux conflits. Les rois s'efforcèrent non de supprimer mais de limiter ce droit de remontrances. Louis XIV enleva au Parlement de Paris, par les lettres patentes du 24 février 1673, le droit de remontrances *préalables* à l'enregistrement, mais ce droit lui fut rendu par la Régence (septembre 1715). On sait qu'il en usa largement pendant tout le XVIIIe siècle.

Ce droit suscitait en outre un débat théorique. Impliquait-il un pouvoir législatif ? Les souverains rejetaient catégoriquement cette interprétation. Pour eux, l'enregistrement était une simple formalité de publication et les remontrances devaient se borner à des observations juridiques formelles qui n'empiétaient en rien sur leur pouvoir exclusif de faire les lois. Au contraire, les conseillers des cours souveraines estimaient qu'ils avaient à discuter sur le fond. Ainsi le premier président de Harlay osait rappeler à Henri IV en 1605 : « Les édits sont envoyés au parlement non seulement pour procéder à la vérification mais pour en délibérer selon les règles ordinaires de la Justice. » Cette interprétation réapparaissait avec force lors des crises de régime et elle aboutit à la fin du XVIIIe siècle à une théorie véritablement révolutionnaire.

• Les cours souveraines ont également usé, surtout aux XVe et XVIe siècles, du droit de faire des *Arrêts de Règlement*. Il s'agissait de mesures prises par les cours pour être observées comme des lois dans leur ressort territorial. Sorte de droit supplétif destiné, souvent à propos d'un procès particulier, à suppléer aux lacunes des ordonnances. Mais ces arrêts, limités au ressort de la cour qui les prononçait, ne pouvaient contredire un texte émané du roi. Dès 1527, un édit de François Ier interdisait aux parlements « de ne user par cy après d'aucune limitation, modification, ou restriction sur ses ordonnances, édits et chartes ». Par la suite d'autres édits renouvelèrent cette défense. Aussi les juristes considéraient-ils ces arrêts comme une source secondaire du droit. Pasquier les définit comme des « guidons de pratique » et refuse de les tenir pour des lois. Loyseau (21) affirme : « Le roy permet à ses principaux officiers... de faire des règlements... qui ne sont pourtant que provisoires et faits sous le plaisir du roy, auquel seul appartient de faire loys absolues et immuables. »

• Une autre pratique était celle des *jugements en équité*. Pratique qui consistait, à propos d'un procès, à modérer ou à étendre la loi selon ce qui leur paraissait préférable d'après l'espèce à juger. Pratique dangereuse, condamnée à maintes reprises par les ordonnances royales. Au XVIe siècle, Pasquier l'admet pour les cours souveraines, mais avec un certain embarras. Au XVIIe siècle, on la refuse. Elle n'en continua pas moins à exister comme élément de la jurisprudence.

Que faut-il en conclure ? Qu'en matière de droit public, si le roi est la source de la loi, les officiers des cours souveraines participaient à l'activité législative d'une façon beaucoup plus efficace qu'il ne le semblerait à première vue.

III. — LES RÉSULTATS

Retracer les résultats du travail législatif accompli en trois siècles dépasserait les limites de cet ouvrage. Et du reste on n'a qu'à se reporter aux histoires du droit (22). Contentons-nous ici de souligner les *tendances* et de marquer les *étapes*.

— On souligne d'ordinaire une double tendance : à la *codification* et à l'*unification* du droit public. Mais aucune tentative de codification n'a abouti, malgré les efforts de François Ier (il confia en 1517 à une commission le soin de mettre en ordre les actes royaux), malgré les exigences des États Généraux (1560, 1576, 1614) ou des Assemblées de notables (1626), malgré enfin la demi-réussite de Colbert. La codification demeura partielle et conserva un caractère privé : tous les codes publiés au XVIe siècle (« Code Henri III » du président Brisson en 1587, « Conférence des Ordonnances Royaux » de Guénois en 1593) ou au XVIIe (« Code Louis XIII » de Corvin en 1628) furent de simples recueils sans sanction officielle. Il n'y eut aucun code général avant la Révolution. Quant aux efforts d'unification du droit public — surtout sensibles au XVIIIe siècle — ils se heurtèrent toujours à la structure privilégiée de la société et au caractère contractuel de l'état monarchique : le réseau de pactes particuliers qui liaient le roi aux provinces, aux villes, aux corps, ne pouvait autoriser le succès de ces tentatives. En dépit des efforts des juristes, la législation royale continua à comprendre, à côté des lois de portée générale, des concessions de privilèges accordées à telle catégorie de personnes ou à tel ensemble géographique.

— Trois *étapes* jalonnent ce long travail législatif.

• Jusqu'au règne personnel de Louis XIV les ordonnances furent surtout des ordonnances de « réformation », sortes de textes généraux, touchant aux matières les plus diverses, sans classement logique. La répétition de ces textes revenant sur les mêmes réformes indique les difficultés auxquelles se heurtait leur application. Dès l'ordonnance de Montil-lez-Tours (1484), Charles VIII tentait de fixer les règles de la justice et de l'administration. Après l'ordonnance de Blois de mars 1499, qui proscrivait la vénalité des offices et réglementait la procédure, il faut mentionner deux textes très importants émanés de François Iᵉʳ. L'édit de *Crémieu* (juin 1536) restreignit la justice seigneuriale au profit de la justice royale. Les cent quatre-vingt-douze articles de l'ordonnance « sur le faict de la justice » promulguée à *Villers-Cotterets* en août 1539 touchaient en fait aux matières les plus diverses. On leur doit la création d'un véritable état-civil (désormais les curés étaient obligés de tenir des registres de baptêmes et de sépultures) et la francisation linguistique des provinces de langue d'oc (le français était substitué au latin dans tous les jugements et actes notariés). La seconde moitié du xviᵉ siècle fut particulièrement féconde en grandes ordonnances, inspirées par les chanceliers (Michel de l'Hospital, Cheverny) ou sollicitées par les États Généraux. Citons l'Édit de Roussillon (janvier 1564), les ordonnances de Moulins (février 1566) et de Blois (363 articles — 1579). Enfin, sous Louis XIII, le garde des sceaux Michel de Marillac fit adopter en juin 1629 une grande ordonnance de réformation, dite *Code Michau* (461 articles), dont le seul malheur fut de n'être pas appliquée. Beaucoup de travail, peu de résultats pratiques : tel fut le trait dominant de la législation de cette époque.

• Après 1661, les ordonnances changent de caractère. Dans l'équipe qu'anime Colbert perce un double souci : non plus réformer mais remettre en ordre, classer, codifier ; non plus tout embrasser dans un même texte, mais traiter séparément de chaque matière importante. Un minutieux travail de préparation aboutit à des textes auxquels le xixᵉ siècle devra l'essentiel de sa législation publique : l'ordonnance sur la procédure civile de 1667 (ou Code Louis), l'ordonnance sur la procédure criminelle de 1670, l'ordonnance sur le commerce de 1673 (ou Code Marchand, ou Code Savary), l'ordonnance de la marine (août 1681) et l'ordonnance coloniale (ou Code Noir) de mars 1685.

• Le xviiiᵉ siècle voit le triomphe de la législation moderne par la conjonction des deux préoccupations antérieures (codifier, comme sous Colbert, réformer, comme au xviᵉ siècle) dans une perspective nouvelle : celle de l'État des Lumières. Il serait impossible de mentionner même le dixième de l'immense travail accompli sous Louis XV et sous Louis XVI. Rappelons

seulement qu'après l'édit d'août 1749 sur les établissements et acquisitions des gens de main-morte (limitations à la propriété ecclésiastique), ce furent les grands
textes du ministère Turgot qui furent les plus audacieux : arrêt du Conseil sur la liberté du commerce des
grains (septembre 1774), édits supprimant les jurandes
et les corvées (1776). Après l'échec de Turgot, l'œuvre
réformatrice ne s'arrêta pas. En témoignent la déclaration
du 24 août 1780 supprimant la « Question » (torture)
préparatoire, celle du 1er mai 1788 supprimant la question préalable, l'édit accordant l'état civil aux protestants (1787). La Révolution éclata dans un pays en pleine
modernisation législative.

De cet examen sommaire des sources et de l'évolution
du droit public se dégagent deux grandes leçons. Il
apparaît d'abord que l'État moderne dont la constitution a demandé plus de trois siècles, reposait sur un
« corpus » juridique solide. Que la France — à la différence, soulignaient les hommes du temps, de la Turquie
ou de la Perse — était un État réglé, policé, « civilisé »
au sens que donnaient à ce mot les juristes du XVIIe
siècle. La révolution commença dans les esprits — dans
les années 1750 — quand ce contraste ne fut plus reconnu,
quand s'affirma l'exigence de conventions d'un autre type.

Mais cet État « moderne » n'était pas un État uni-
forme. Il continuait à se superposer à une toile d'araignée de contrats particuliers, de privilèges de corps,
de villes ou de provinces, ce qui réduisait considérablement la sphère d'application du droit commun. Sur
ce plan seul, le grand coup de balai de la Constituante
(1789-1791) marquera une rupture. L'étude des bases
théoriques du régime proprement politique va confirmer ces deux leçons.

2

LOIS FONDAMENTALES
OU RÉGIME CONSTITUTIONNEL ?
AMBIGUÏTÉS DE L'ABSOLUTISME

I. — LES PROBLÈMES

Pour les Constituants de 1789, comme pour les leaders
de l'épopée révolutionnaire, « absolutisme » s'opposait
à régime constitutionnel et tendait à s'identifier à
« arbitraire », voire à « despotisme ». Longtemps les
historiens ont épousé cette myopie de la fin du XVIIIe
siècle, ce génial contre-sens historique qui prouverait,
s'il en était besoin, l'ampleur de la révolution intellectuelle des années 1750 (23), la fin du *consensus* qui avait
permis la durée du régime traditionnel. Aujourd'hui
encore Pierre Goubert peut écrire : « Quoi qu'on pense
du magma de textes épars, de conventions tacites et
d'habitudes discutées que des juristes et des historiens
ont baptisé « constitution du royaume », il est évident
qu'il ne répondait pas à ces principes simples (24),
acceptés par l'opinion éclairée » (25). Tout à fait d'accord
avec Goubert dans la mesure où il se situe en 1789,
je refuse par contre cette situation trop commode :
c'est avant la coupure des Lumières qu'il faut camper
pour comprendre, avec les hommes du temps, mais
aussi avec nos moyens contemporains d'investigation,
ce que fut l'absolutisme.

Par réaction contre l'acte d'accusation des Constituants, des historiens ont tendance aujourd'hui — et
notamment Roland Mousnier (26) — à considérer que
l'ancienne France possédait une véritable constitution.
Constitution non écrite, certes, reposant sur des règles
coutumières, plus rigoureuses même en France qu'en

Angleterre (27) (puisque l'Angleterre ignorait la distinction entre lois fondamentales et lois ordinaires). Constitution dont les Français ne doutaient pas, lorsqu'ils établissaient l'opposition fondamentale entre leur pays — où la coutume et les lois fondamentales réglaient la forme de l'État et protégeaient les biens comme les personnes — et des empires comme la Turquie et la Moscovie où la puissance arbitraire du souverain s'étendait sans limites.

Ce contraste entre « monarchie royale » (à la française) et « monarchie seigneuriale » (traduction du mot grec « despotikos » (28) fut en effet la tarte à la crème de la littérature juridico-politique, de Bodin à Montesquieu. Tout à fait d'accord, sur ce dernier point, avec Roland Mousnier, je crains cependant qu'il ne tombe dans un certain anachronisme en appliquant à l'Ancienne France des vocables et des concepts qu'elle ignora longtemps. Trois problèmes me semblent devoir être posés : problème de *définitions*, problème de *périodisation*, problème des *rapports entre théorie et pratique politiques*.

• Aucune définition n'est satisfaisante dans la mesure où les historiens sont contraints de suppléer aux lacunes du *vocabulaire* ancien par des analyses souvent intéressantes mais toujours quelque peu arbitraires. Avant Montesquieu le mot « constitution » n'est jamais employé. « Absolutisme » est un substantif inconnu avant la seconde moitié du XVIIᵉ siècle. « Absolu », par contre, est sans cesse utilisé pour qualifier le roi de France. Mais en quel sens ? Étymologiquement, le Prince absolu, c'est le Prince qui est *délié* des lois. Mais ce sens premier, sans cesse rappelé par les juristes (« Princeps solutus legibus ») est en contradiction avec la reconnaissance, par ces mêmes juristes, de lois fondamentales limitant et contraignant la volonté royale. On verra comment les théoriciens du XVIᵉ siècle ont tenté d'esquiver cette contradiction. Pasquier, on s'en souvient (29), faisait intervenir la « bienveillance naturelle » des souverains qui acceptaient d'« obéir » à la loi. Est-il besoin de souligner le manque de vigueur d'une telle explication ?

On comprend, dans ces conditions, la diversité des schémas proposés par les historiens contemporains. De ces schémas, je retiendrai les trois plus répandus. Le premier (30) présente l'absolutisme comme un type d'autocratie qui s'est imposé au moment où les États Généraux cessent de participer au pouvoir, « une sorte de monarchie des États... dans laquelle les représentants des ordres ne sont plus consultés ». Schéma doublement trompeur, dans la mesure où la consultation des États (dont le devoir était de *conseiller* le souverain) n'a jamais, en droit du moins, porté atteinte à la prérogative royale, et où, dans les faits, elle a surtout répondu à la conjoncture politique, c'est-à-dire à un certain moment des rapports de forces. Second schéma : celui de Roland Mousnier. Pour lui l'absolutisme est un régime où la puissance de l'État, absolue et indivisible, s'incarne dans un Roi dont le pouvoir n'est pas sans limites, mais s'exerce sans contrôle. Les limites, ce sont les lois fondamentales. L'absence de contrôle, c'est le principe selon lequel le roi ne partage pas sa souveraineté. Absolutisme s'opposerait ainsi à éparpillement féodal. La principale critique que l'on peut faire à ce modèle — bien plus riche que le précédent — est qu'il suppose une fixité, une immuabilité d'un système qui a duré plus de trois siècles et sous-estime l'impact des circonstances, des luttes réelles, en un mot de la *pratique* sur le fonctionnement des institutions. Plus sensible à ces données, Pierre Mesnard (31) suggérait de distinguer deux types correspondant à deux étapes : la monarchie royale ou monarchie pure — je dirais pour ma part : monarchie tempérée — celle du XVIe et du début du XVIIe siècle, l'absolutisme où cessent de jouer contre le pouvoir du monarque les freins établis par la coutume (de Richelieu à Louis XVI). L'inconvénient de cette hypothèse, c'est que, sur le plan des principes, ces freins n'ont jamais été oubliés. Mais son gros avantage est de poser la nécessité d'une périodisation.

• Sur ce point, les désaccords sont plus apparents que réels. En un sens, comme le soulignent les historiens du droit, l'absolutisme date des origines même de la royauté : les Capétiens du XIe siècle étaient déjà théoriquement « déliés ». Mais en fait — nul ne l'ignore — le pouvoir royal s'est lentement développé jusqu'au XVe siècle contre les féodalités. Faut-il alors dater l'absolutisme du XVe siècle (Mousnier) ou d'un certain moment du XVIIe (Mesnard) ? Faux problème, puisqu'aussi bien nul ne nie que les données juridiques sont restées fondamentalement les mêmes, mais qu'une évolution se produisit, au cours du XVIIe siècle, à la fois dans la pratique et dans les justifications théoriques du système. Le seul problème est celui des césures décisives :

époque de Louis XIV, comme l'affirmait volontiers l'historiographie du xixe et du premier xxe siècle, ministériat de Richelieu, comme on tend aujourd'hui à le penser ? Nous reviendrons plus loin sur ce point.

• Ces difficultés, ces débats, ces ambiguïtés tiennent, selon moi, au fait que trop souvent l'on néglige d'éclairer les rapports entre théorie (et par théorie j'entends non seulement les définitions juridiques mais les justifications idéologiques et l'environnement socio-culturel) et pratique politique. Comme tout système, celui qui régit la France du xve au xviiie siècle était un *champ de forces mouvantes* où s'interpénétraient les grandes tendances de l'évolution économico-sociale, les courants intellectuels et religieux, les exigences de certains choix politiques. Ni une construction harmonieuse et logique, ni un magma irrationnel, mais la résultante de forces en perpétuelle mutation. C'est pourquoi nous allons maintenant tenter de répondre à trois grandes questions : quelle fut la genèse du système (jusque vers 1630), quelles en étaient les données essentielles (vers cette date), quand et sous quelles formes se situent les ruptures ?

II. — Genèse du régime

— La montée du pouvoir royal est inséparable d'un certain nombre de transformations capitales que la France a connues, comme d'autres pays de l'Europe de l'Ouest. L'étude de ces transformations — disons : des conditions historiques générales de l'«absolutisme» — est hors de notre propos. J'en soulignerai seulement les trois aspects majeurs :

• L'identification du Roi et de l'État a été facilitée par le double processus de sécularisation et de nationalisation de l'État face aux puissances supranationales (Pape, Empereur) et infranationales (féodalité, cloisonnement seigneurial et urbain). Mais ce constat classique doit être fortement nuancé. La notion de « patrie » n'a jamais obscurci le sentiment d'appartenir à la « république chrétienne » et le vieil idéal de la « Monarchie », au sens où l'entendait Dante, c'est-à-dire de monarchie universelle, est resté vivace jusqu'au xviiie siècle.

• Les appuis des groupes sociaux les plus influents n'ont pas manqué aux souverains. Non pas cette alliance simpliste de la Royauté et de la « bourgeoisie » contre la féodalité et l'église que nous contaient naguère les historiens de la Restauration (Augustin Thierry, Guizot) (32). Si les bourgeoisies, toujours divisées dans leurs intérêts, réagirent selon les moments de façon diverse (les oligarchies municipales, par exemple, qui avaient fourni dans la deuxième moitié du xve siècle les cadres les plus sûrs de la haute administration royale, furent plus sensibles à la fin du xvie siècle aux revendications autonomistes qu'au service de l'État), officiers, nobles et haut clergé eurent tout à gagner à associer leur destin à celui du roi. Les gages, les pensions, les profits de la guerre (n'oublions pas qu'elle fut presque continue de 1492 à 1559), les avantages du Concordat signé en 1516 entre François Ier et le Pape : tout orientait l'élite vers le service du roi.

• L'évolution économique, enfin, allait dans le même sens. Extension du marché inter-régional, interventions nécessaires pour protéger l'industrie, croissance des besoins financiers de l'État (organisation du crédit public) : phénomènes bien connus qui postulaient l'existence d'un roi puissant, respectant ses engagements, mais les faisant respecter par la société.

Mais au-delà de ces conditions générales, il faut insister sur les données juridiques, intellectuelles, spirituelles et théoriques qui ont convergé dans l'exaltation de la personne royale.

— Données *juridiques*? On peut, avec Olivier Martin (auquel il faut se reporter pour de plus amples développements) (33), en distinguer quatre. A partir du xve siècle le roi de France est à la fois le *Roi traditionnel*, le *Suzerain des suzerains*, l'*Empereur en son royaume* et le *Roi Très Chrétien*.

• Le Roi traditionnel, c'est le roi de la coutume, qui incarne depuis les débuts de la dynastie capétienne les intérêts de tout le royaume *(utilitas totius regni)*. Ce qui implique un double devoir : protection contre l'ennemi venu de l'extérieur *(tuitio regni)*, maintien, par la justice, de la paix intérieure. Ce qui lui donne des moyens d'action, comme le droit de rendre justice, de battre monnaie, de recruter des hommes d'armes, et, comme on l'a vu (34), d'établir des lois générales.

• Suzerain des suzerains? Dès le xiie siècle, et plus systématiquement à partir du xiiie siècle, les légistes au service du roi ont utilisé l'organisation féodale existante pour renforcer ses pouvoirs. « Souverain-fieffeux », seigneur des seigneurs, imposant l'hommage vassalique aux plus grands, sommet de la pyramide, le roi jouit sur tous ses vassaux des droits qui appartiennent au suzerain. Restée très vivante jusqu'au XVIIIᵉ siècle, cette théorie permit à François Iᵉʳ de procéder contre le connétable de Bourbon et de s'emparer de ses biens, et d'imposer le droit de ressort de la justice royale sur les justices seigneuriales.

• Empruntée au droit romain par les juristes du XIVᵉ siècle, la notion d'« *imperium* » fut étendue par eux aux pouvoirs du roi de France. Les textes du droit romain offraient le modèle d'un empereur doté de pouvoirs illimités, pouvant lever des impôts à son gré, jouissant d'un certain nombre de monopoles (monnaie, mines, propriété des cours d'eau et des rivages de la mer). D'où l'adage né dans l'entourage de Philippe le Bel : « Rex Franciae est imperator in suo regno » (35). Aux XVᵉ et XVIᵉ siècles se multiplient les traités énumérant les « regalia » du roi (monopoles tirés du droit romain). La formule bien connue « *Car tel est nostre plaisir* » par laquelle les souverains terminaient la rédaction de leurs actes est la traduction du « *Quidquid principi placuit legis habet vigorem* » des nostalgiques de l'imperium.

• Aux frontières du droit canon, de la coutume, et d'une très vieille tradition populaire se situe l'image du *Roi Très Chrétien*. Si ce titre ne fut porté officiellement qu'à partir de Louis XI, le contenu qu'il recouvre est bien plus ancien et résulte du passage progressif au *droit* d'une mystique encouragée par l'Église mais née spontanément : la mystique du *sacre*. Le Sacre, qui a lieu à Reims (seul Henri IV en raison de l'occupation de Reims par les Ligueurs, se fit couronner à Chartres), comportait un cérémonial, à peu près fixé dès le XVᵉ siècle, qui conférait au roi un véritable sacrement et en faisait un presque-évêque. Oint avec l'huile de la Sainte-Ampoule, le souverain recevait les symboles de son pouvoir et prêtait serment de fidélité à l'Église. Après la cérémonie, le roi « touchait » les « écrouelles », c'est-à-dire exerçait le pouvoir guérisseur que lui reconnaissait le peuple, et dont nous reparlerons plus loin. Sans doute le sacre n'était-il pas, pour les juristes soucieux de la continuité de l'État, une condition préalable à l'exercice des pouvoirs du roi. Du Haillan le précisait en 1570 : « Le roi ne laisse pas d'être roi, sans le couronnement et sacre qui sont cérémonies pleines de révérence,

concernant seulement l'approbation publique, non
l'essence de la souveraineté. » Mais en faisant du roi
« une personne sacrée... comme mitoyenne entre les
anges et les hommes » (Pierre Pithou, 1594), le sacre
donnait une caution supplémentaire à l'enseignement
des théologiens sur le caractère impie de toute rébellion.
Il constituait, comme le disait si bien Henri IV, « beaucoup d'efficace ».

— Nous rejoignons ici des *courants spirituels sous-
jacents*, des formes populaires du culte monarchique,
des légendes, des allégories riches en symboles qui
révèlent un extraordinaire mélange d'éléments culturels
empruntés aux sources les plus diverses. Le toucher
des écrouelles (36) — c'est-à-dire de scrofules dues à
une sorte d'adénite tuberculeuse — que les rois pra-
tiquaient non seulement lors de leur sacre mais à l'occasion des grandes fêtes, mobilisait les foules : le 22 mai
1701 encore, Louis XIV « toucha » deux mille quatre
cent scrofuleux. Ce culte du roi thaumaturge, Marc
Bloch l'a magnifiquement montré, rencontrait celui d'un
saint guérisseur, Saint Marcoul, dont la renommée se
répandit en France aux XVIe et XVIIe siècles et fixa des
lieux de pèlerinage. D'autres saints, même dépourvus
de pouvoir thaumaturgique, étaient associés au culte
royal : Saint Denis surtout, devenu grâce aux soins
attentifs de la célèbre abbaye proche de Paris (sauf
Louis XI, tous les rois y furent inhumés) le saint tuté-
laire de la maison de France. On saisit également la
contamination entre de vieux fonds légendaires, des
thèmes empruntés à l'antiquité gréco-romaine et des
espoirs liés aux prophéties du Moyen Age dans les
« entrées » ou les « tombeaux » des rois, dans les allégories des tapisseries. Ainsi le thème de l'« Hercule
Gaulois », greffage du héros thébain sur un personnage
vénéré en Gaule, Dieu de l'éloquence représenté comme
un vieillard enchaînant son auditoire par les fils d'or
qui sortaient de sa bouche : François Ier, Charles IX,
Henri IV, furent successivement assimilés à l'Hercule
Gaulois. Plus important encore le progressif transfert
de l'Empereur au Roi de France du vieux rêve de la
Monarchie universelle incarnant la république chrétienne. Le symbole, c'étaient les *Trois couronnes* (deux
couronnes terrestres et la couronne céleste qui attend
le chef de la croisade). Avec Henri III (roi de Pologne
et de France) et plus encore Henri IV (roi de France et

de Navarre), ce thème se répandit. « Le voilà ce grand roi de la Fleur de Lys appelé par les prophéties à la seigneurie du monde » peut-on lire dans un écrit anonyme de 1603.

— Plus élaborés, issus de milieux intellectuels gagnés par la Renaissance, certains thèmes, ou certaines légendes, concoururent également à placer le roi très au-dessus de la pyramide sociale. Songeons ici au thème du *Prince*, emprunté à la culture romaine du siècle d'Auguste, revivifié dans l'Italie du XVe siècle, qui donna lieu en France, dans la littérature comme dans l'iconographie, à de nombreuses expressions. Assimilés tantôt au sage Ulysse (sorte de Salomon païen pilotant harmonieusement la nef de l'État), tantôt à Mercure (avec le caducée), tantôt à Hercule, les Rois de France devenaient des Héros, des Demi-Dieux. La légende de l'origine troyenne de la dynastie royale, dont Ronsard a fait la fortune dans sa « Franciade », connut aux XVe et XVIe siècles un succès étonnant. Lors des « entrées » solennelles des souverains à Paris, d'immenses arbres généalogiques étaient dressés à la Porte Saint-Denis pour rappeler cette filiation.

— Tous ces courants divers (le droit, le culte, l'exaltation littéraire et artistique) aboutissent à un foisonnement de traités *théoriques* dont je ne retiendrai ici (37) que ceux qui marquèrent le plus contemporains et postérité : ceux de Claude de Seyssel et de Jean Bodin. Claude de Seyssel (1450-1520) était un ancien juriste de l'Université de Turin, entré au service de Charles VIII, puis de Louis XII, qui lui confia de nombreuses missions diplomatiques et administratives. Il écrivit en 1515, pour le nouveau roi François Ier, « *La Monarchie de France* » (38) qui parut en 1519. Reprenant les distinctions, classiques depuis Aristote, entre les trois formes principales de gouvernement (monarchie, aristocratie et démocratie), il affirmait bien entendu la supériorité de la monarchie, mais surtout de la monarchie française parce que, grâce à la loi salique, aucun prince étranger ne pouvait y accéder. Seyssel insistait sur la souveraineté absolue (au sens étymologique) du Prince, mais aussi sur les freins qui la règlent : « La puissance absolue du prince et monarque, laquelle est appelée tyrannie quand on en use contre raison, est réfrénée et réduite à civilité. » Ces freins, ce sont les obligations de conscience du roi (les commandements de Dieu). Ce sont aussi les

Parlements « qui ont été institués principalement pour cette cause et afin de refréner la puissance absolue dont voudraient user les souverains ». Ce sont enfin les coutumes. On retrouve donc dans cette pensée, comme dans celle de tous ses contemporains, l'ambiguïté fondamentale des théories « absolutistes ». Au fond, l'idéal de Seyssel est celui d'une monarchie tempérée. C'est pourquoi, lors de la Fronde et au XVIIIe siècle les, adversaires des « empiètements » du pouvoir royal se réclamèrent souvent de lui.

Entre Seyssel et Jean Bodin (1530-1596) n'existent pas seulement l'écart des générations ni la différence de niveaux de culture (Bodin était un humaniste possédant des connaissances encyclopédiques). Ils sont surtout séparés par la période des Troubles où le pouvoir royal fut contesté, y compris sur le plan théorique (39). Ce fut pour réfuter les pamphlets protestants des années 1570 que Bodin composa, en 1576, les « *Six Livres de la République* », qui allaient connaître pour plus d'un siècle (y compris dans l'Angleterre des Stuart) un succès prodigieux. Les théoriciens de l'absolutisme que l'on cite souvent, un Guy Coquille (« Institution du droit des Français », 1605) un Charles Loyseau (« Traités des Seigneuries », 1613), ne firent le plus souvent que le plagier ou broder sur ses thèmes. Quels thèmes ? république, souveraineté, monarchie royale ou légitime. La République (ce que nous appellerions : l'État) est « droit gouvernement de plusieurs mesnages et de ce qui leur est commun avec puissance souveraine ». L'adjectif « droit » permet à Bodin d'écarter tout cynisme machiavélien (la justification d'un État de fait fondé sur la force) et toute finalité idéaliste (la justification de l'état par la justice). Souveraine ? « La souveraineté est la puissance *absolue* et *perpétuelle* de la République. » Comme elle est indivisible, la souveraineté, ne peut appartenir qu'au Roi, à l'aristocratie ou au peuple : il ne peut y avoir d'état mixte. C'était, par rapport à Seyssel, trancher un point essentiel : en France la souveraineté appartenait au roi et ne pouvait être partagée. Comme les deux autres formes de république (aristocratie et démocratie), la monarchie comporte trois formes de gouvernement : la tyrannie, qui méprise les lois de Dieu et celles de la nature, la monarchie « seigneuriale » (traduction du grec « despotikos ») qui les respecte mais empiète sur la propriété des sujets, et la monarchie « royale » ou légitime, qui obéit aux lois divines, aux lois humaines, aux lois fondamentales, et « laisse la liberté naturelle et la propriété des biens à chacun ». De Bodin l'on a fait le héraut le plus pur de l'absolutisme le plus radical. Je pense, avec Pierre Mesnard (40), qu'il a été surtout un théoricien de l'équilibre, soucieux, tout en affirmant rigoureusement la souveraineté, des limites de son exercice.

Au terme, du reste, de ce survol des théories du pouvoir royal, il faut souligner qu'elles restèrent inachevées, et que, sur deux points importants (sur lesquels s'étaient appuyés les « contestataires » de la Ligue), les ambiguïtés subsistèrent. Que devenait le rôle originel du peuple, la vieille théorie scolastique selon laquelle tout pouvoir venait de Dieu « per populum » ? La pensée de Bodin est flottante sur ce point, mais cette vieille notion ne disparut pas. Quant au rôle du Pape (le roi tenait-il son pouvoir *immédiatement* de Dieu, ou le Pape a-t-il le droit d'intervenir en certains cas ?), il suscita à plusieurs reprises — 1614, 1625 — une bataille de libelles, sans que le problème fût tranché.

Toutes ces ambiguïtés traduisent, au fond, la volonté tacite de ne pas être obligé d'aller au fond des choses, ce qui eût entraîné soit de priver le roi de ses moyens d'action soit d'ôter aux « freins », dont on ressentait la nécessité, toute justification. Ce sont ces pouvoirs et ces freins qu'il nous faut à présent aborder.

III. — Pouvoirs du Souverain et Lois fondamentales

A) Commençons par les freins. En dehors des commandements de Dieu et du respect des lois naturelles on se réfère couramment, on l'a vu, aux « lois fondamentales », c'est-à-dire à des règles positives. La difficulté, en régime coutumier, c'est de définir ce qui est fondamental et ce qui ne l'est pas. Selon les périodes et selon les problèmes concrets qui se posaient, certains corps ou certaines fractions de l'opinion ont essayé de faire proclamer comme fondamentale une règle qui n'était pas admise par tous. Ainsi le Tiers État aux États Généraux de 1614 prétendit en vain faire proclamer l'indépendance totale du roi vis-à-vis de la Papauté. En réalité ne doivent être considérées comme fondamentales que des lois fondées sur un précédent, acceptées par la tradition, reposant sur le *consensus* général (41). Il en était de deux sortes : les unes concernaient les règles de dévolution de la couronne, les autres le domaine royal.

— Sans pouvoir entrer dans les détails (42), rappelons que ce furent les grandes crises de succession traversées par la monarchie aux XIVᵉ, XVᵉ et XVIᵉ siècles qui ont complété l'usage introduit depuis le XIIᵉ siècle par les rois héréditaires de transmettre la couronne à l'aîné de leur fils. Les crises ont permis de fixer cinq principes :

• *L'inaliénabilité de la couronne.* Au début du XVᵉ siècle, lorsque Charles VI prétendit priver le Dauphin de ses droits à la couronne au profit du roi d'Angleterre (Traité de Troyes en 1420), les juristes élaborèrent le principe *statutaire* : la couronne n'est pas un patrimoine héréditaire dont le roi puisse disposer par actes ou testament, elle est dévolue selon un statut intéressant l'ordre public. Le Dauphin n'hérite pas du roi, il a dès sa naissance un droit inaliénable. « La couronne n'est pas proprement héréditaire » (Charles du Moulin). En vain les Ligueurs tentèrent-ils de remettre en question ce principe à propos des droits d'Henri IV.

La succession de la couronne au XIVᵉ siècle

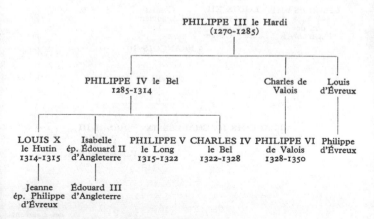

La succession de la couronne aux XVᵉ et XVIᵉ siècles

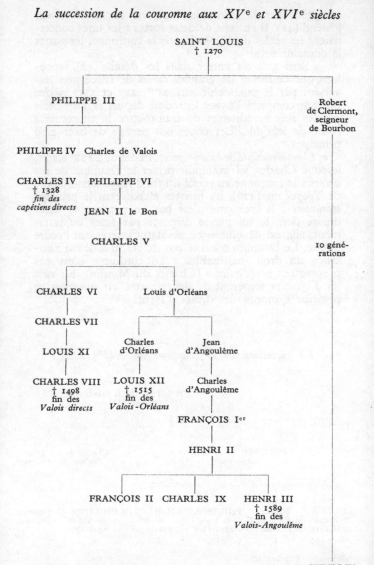

SAINT LOUIS
† 1270

PHILIPPE III

Robert
de Clermont,
seigneur
de Bourbon

PHILIPPE IV   Charles de Valois

CHARLES IV   PHILIPPE VI
† 1328
*fin des
capétiens directs*

JEAN II le Bon

CHARLES V

10 générations

CHARLES VI   Louis d'Orléans

CHARLES VII

LOUIS XI   Charles
d'Orléans   Jean
d'Angoulême

CHARLES VIII   LOUIS XII   Charles
† 1498   † 1515   d'Angoulême
fin des   fin des
Valois directs   *Valois - Orléans*

FRANÇOIS Iᵉʳ

HENRI II

FRANÇOIS II   CHARLES IX   HENRI III
† 1589
fin des
Valois-Angoulême

HENRI IV
*avènement
des Bourbons*

• *L'exclusion des filles.* Ce problème se posa en 1316 à la mort de Louis X le Hutin (43) et le précédent ne fut remis en question ni en 1322 (à la mort de Philippe V) ni en 1515 (Louis XII ne laissait que des filles).

• *L'exclusion des mâles descendant par les filles.* A la mort de Charles IV (1328), la première branche de la dynastie capétienne s'éteignant, le plus proche parente du roi était le fils de sa sœur, Édouard III d'Angleterre. Pour l'écarter, on lui préféra un cousin germain par les mâles, Philippe de Valois. Trente ans plus tard, pour justifier a posteriori ce choix politique, un religieux inventera la fameuse loi « salique », et l'on rattacha progressivement à cette ingénieuse invention les règles de dévolution de la couronne. Des adages célèbres la popularisèrent (« Le royaume des lys ne tombe pas en quenouille »). Quand les Ligueurs opposèrent à Henri IV l'infante Claire-Isabelle (nièce d'Henri III), le Parlement de Paris rappela par un arrêt célèbre que la loi salique était une loi fondamentale.

• *Parmi les mâles, la primogéniture l'emporte sur la proximité.* Le problème peut se poser ainsi : à la mort d'un roi sans hoirs mâles, qui doit lui succéder parmi ses parents issus de mâles, son parent le plus proche, ou celui qui, même lointain, vient de la branche issue du trône immédiatement après la sienne ? En 1328 encore, le principe de primogéniture fit préférer Philippe de Valois à Philippe d'Évreux. En 1498, Louis d'Orléans succéda ainsi sans difficultés à Charles VIII et, en 1515, François d'Angoulême à Louis XII. Après la mort d'Henri III (44), des juristes au service de la Ligue tentèrent de faire écarter Henri de Navarre parce qu'il n'était cousin du roi qu'au 21e degré ! L'avènement d'Henri IV acheva d'imposer le principe de la primogéniture.

• *L'exclusion des hérétiques* posa un problème délicat dès le règne d'Henri III, surtout après la mort (1584) de son dernier frère, le duc d'Anjou, parce que l'héritier présomptif, Henri de Navarre, était protestant. A plusieurs reprises (1577 et 1588), les États Généraux prétendirent que la catholicité du souverain était une loi fondamentale du royaume. En réalité (45), c'était une affirmation partisane : faute de précédent, faute d'un *consensus* unanime, on ne pouvait parler de loi fondamentale. Il fallut l'abjuration d'Henri IV pour transformer en règle ce qui n'avait été jusqu'alors que l'exigence de la majorité.

Tels sont les principes de base qui règlaient la transmission de la couronne. Un point très important ne fut jamais tranché par la coutume : l'exercice de la *régence* en période de minorité, c'est-à-dire l'équivalent du problème de l'intérim dans nos constitutions contemporaines. Reine-Mère ? Plus proche prince du sang ? Testament du roi défunt ? Ce furent les rapports de force qui jouèrent, toujours contre les testaments (ceux de Louis XIII et de Louis XIV furent cassés), le plus souvent en faveur de la Reine-Mère (Catherine de Médicis, Marie de Médicis, Anne d'Autriche).

— La personne royale cessant ainsi d'être distincte de l'État, il fallut bien adopter pour le *domaine de la couronne* des règles de droit public, distinctes de celles du droit privé qui concernent le patrimoine, et s'imposant au roi lui-même.

• Mais d'abord qu'est-ce que le domaine de la Couronne ? Plusieurs précautions s'imposent, si l'on veut éviter les contre sens. Au départ le domaine royal avait été un domaine féodal, régi comme tel par le droit privé. Or le droit privé de l'Ancienne France distinguait soigneusement deux éléments que, depuis le XIXe siècle (pour la France, depuis le Code civil de Bonaparte), nous confondons sous le vocable de *propriété*, c'est-à-dire de possession entière et complète. Ces deux éléments étaient d'une part les droits *utiles* (droit de vendre, léguer, partager, donner à bail, etc.) auxquels on réservait le nom de propriété, et les droits *éminents*, liés à un titre ancestral d'une ancienne possession, consistant en taxes diverses (46). Le Roi de France en tant que Duc de Gisors ou comte de Dunois ne possèdait naturellement pas — et de très loin — tous les droits utiles sur l'ensemble de ces terres : mais il percevait des droits divers (droits de justice, de mutations sur certains fiefs etc.). Le domaine royal se composait donc à la fois d'un certain nombre de « propriétés » ou droits utiles et — surtout — d'un ensemble de fiefs, de seigneuries, de droits éminents. Ce domaine s'agrandit considérablement au cours des siècles, soit par mariage, soit par confiscation opérée en vertu du droit féodal, soit par achat.

Deuxième précaution : ce domaine, selon la coutume, devait suffire à faire vivre le roi, donc l'État. C'est pourquoi, alors que l'impôt royal s'était développé depuis longtemps, il continuait à être perçu par les Français du XVIIᵉ siècle comme une charge extraordinaire, une anomalie liée à des circonstances temporaires (47). Si le roi devait vivre de son domaine, on comprend que ses conseillers et les représentants des États Généraux aient été vigilants sur les règles de sa gestion et aient cherché à imposer des lois fondamentales.

• Jusqu'au début du XIVᵉ siècle, les rois avaient disposé librement de leur domaine, multipliant les donations à l'Église ou aux seigneurs. Ce fut au cours du XIVᵉ siècle que s'imposa la tendance à considérer le Domaine comme *inaliénable* (dès 1364 le roi dut s'engager, lors du serment du sacre, à ne pas l'aliéner) et *imprescriptible* (les usurpations sur ce domaine ne pouvaient pas bénéficier de la prescription admise par le droit privé). L'ordonnance de Moulins (1566) fixa avec précision droits et devoirs du roi. Désormais, il y avait deux domaines distincts : le domaine *fixe* (celui que le roi trouve à son avènement) qui est inaliénable sauf par dérogation consentie par les États Généraux et le domaine *casuel*, c'est-à-dire les acquisitions faites par le roi depuis son avènement, que le roi peut aliéner pendant dix ans. En fait les difficultés financières et la volonté de récompenser leurs serviteurs conduisirent fréquemment les souverains du XVIᵉ siècle à violer ces règles.

• Deux *dérogations* étaient, du reste, expressément prévues. L'une était l'octroi d'*apanages*. L'apanage était la part accordée aux puînés de la famille royale sur l'héritage du souverain (bien que celui-ci fût en principe indivisible). Devant le danger réel d'une véritable décomposition du domaine royal, les juristes des XIIIᵉ et XIVᵉ siècles avaient imposé des limitations très strictes aux droits des apanagistes, notamment la clause de réversibilité, c'est-à-dire le retour de l'apanage au domaine de la couronne faute de descendant direct de l'apanagiste. Mais l'exclusion des filles ne fut pas toujours stipulée, ce qui posa des problèmes lorsque Louis XI, à la mort de Charles le Téméraire, réunit la Bourgogne à la France. Quant à l'*engagement*, c'était une aliénation incomplète et dissimulée. Le roi pouvait, contre argent, remettre à un « engagiste » la jouissance perpétuelle de telle partie de son domaine (une terre ou une taxe) mais en se réservant la faculté perpétuelle de la racheter en remboursant le prix initial. Comme le prix des terres ne cessa d'augmenter, l'administration du XVIIIe siècle se servit souvent de cette clause comme d'une menace pour extorquer aux anciens engagistes une rente supplémentaire. C'est ce qu'on appelait la *revente*.

• Dernière règle, qui s'imposa plus tardivement, l'annexion obligatoire au domaine de la couronne du patrimoine privé d'un collatéral accédant au trône. Louis XII tenta d'y échapper pour le comté de Blois (qu'il possédait avant son avènement) en le faisant administrer séparément, mais son successeur négligea de continuer cette politique. Henri IV refusa, en 1590, malgré le Parlement, d'incorporer au domaine ses biens patrimoniaux, mais finit par s'incliner en 1607.

L'ensemble de ces lois fondamentales ne constituait pas, on le voit, une véritable constitution, même coutumière. Entre les freins dont Seyssel et Bodin lui-même idéalisaient l'efficacité, et ces quelques principes concernant la transmission de la couronne et la gestion de son domaine, l'écart est immense. C'est pourquoi l'on ne peut, si l'on ne veut abuser des mots, parler d'une constitution monarchique, moins encore d'un régime constitutionnel.

B) Dans le domaine des *pouvoirs du roi* l'écart fut aussi considérable entre les principes et la réalité, mais en sens inverse : les pouvoirs réels furent — sauf en période de crise — infiniment supérieurs à ceux que reconnaissaient les juristes. C'est pourquoi nous serons plus brefs, l'essentiel concernant la pratique du système (48).

A la fin du XVe et au début du XVIe siècle, les juristes avaient tendance à énumérer en détail les *regalia*, ou droits du roi : Barthélemy de Chasseneux (« catalogus gloriae mundi », 1529) en distinguait deux cent huit ! Un siècle plus tard, ils se montraient plus continents, et c'est alors qu'on trouve les définitions les plus éclairantes. Loyseau (49), textuellement recopié par La Roche-Flavin (« Treize livres des Parlements », Bordeaux, 1617), écrit que les Rois se sont réservés « cinq actes de haute ou suprême souveraineté, à scavoir, faire loix, créer officiers, arbitrer la paix et la guerre, avoir le dernier ressort de la justice et forger monnoye... Aucuns y adjoustent la levée des deniers et subsides ». Commentons brièvement :

- Faire lois : il s'agit du pouvoir législatif, sur lequel nous avons déjà vu l'essentiel (50).
- Créer officiers. Les officiers — titulaires d'un office — tenaient ainsi du seul roi, comme aujourd'hui les fonctionnaires les tiennent de l'État, les délégations de pouvoir qu'il leur consentait soit pour la justice (offices de judicature), soit pour les finances (offices de finances), soit pour la gestion de son domaine. Le problème se pose pour les offices seigneuriaux, ceux auxquels les seigneurs avaient droit de pourvoir dans leurs fiefs : par un artifice juridique, Loyseau — comme tous les juristes — considère qu'ils dépendaient *aussi* du roi, celui-ci ayant seulement délégué aux seigneurs une partie de son droit exclusif de créer des offices. En fait, à l'époque où écrivait Loyseau, les officiers royaux étaient devenus propriétaires de leurs charges (51).
- Arbitrer la paix et la guerre : c'est le vieux principe de la « tuitio regni » (52) qui entraîne le droit exclusif du roi de décider de l'opportunité d'une guerre ou d'un traité de paix.
- Avoir le dernier ressort en justice : c'est le pouvoir fondamental. A une époque où l'administration (le pouvoir de « police » n'est pas mentionné par Loyseau, c'est progressivement qu'il se distinguera au cours du XVIIe siècle) est imbriquée dans la justice, où elle est exercée par des officiers de justice, c'était la justice qui demeurait l'attribut essentiel de la royauté. Toute justice, même seigneuriale, émanait du roi. La justice royale pouvait être « déléguée », c'est-à-dire exercée au nom du roi par un personnel spécialisé (Parlements, présidiaux, baillages, etc.) (53), mais le roi conservait toujours la justice « *retenue* », en *évoquant* un procès devant son Conseil en dehors de toutes les instances régulières.
- Forger monnaie : ce vieux droit régalien s'était, dans les faits, imposé au cours des XIVe et XVe siècles par la disparition ou la confiscation des grands domaines féodaux. Seules certaines tolérances (dans la principauté des Dombes) sans importance économique maintenaient des frappes hors des ateliers royaux.

Reste alors la levée des subsides, c'est-à-dire l'impôt, que Loyseau hésite à ajouter aux prérogatives royales.

Cette réticence confirme la notion, encore très vivante, des aspects extraordinaires de toute ressource ne venant pas du domaine royal.

Cette définition des pouvoirs royaux est-elle limitative ? Un peu embarrassés par le contraste entre théorie et pratique, certains historiens (54) ont mis en avant la distinction entre *pouvoirs ordinaires* — ceux-là même qu'énumère Loyseau — et *pouvoirs extraordinaires*. Selon eux, une notion comparable à celle de salut public légitimait, en cas de guerre étrangère comme en cas de guerre civile, des entorses au respect des biens (confiscations) et des personnes (arrestations non conformes aux « règles » de la justice). Que la nécessité ait conduit les rois à ces « entorses », c'est évident, mais cela n'est pas limité aux périodes de crise : nous retrouvons notre thème fondamental, l'impossibilité de juger l'absolutisme par ses justifications idéologico-politiques. Au contraire, semble-t-il, c'est dans les moments de force que ces « entorses » furent les plus nombreuses et qu'elles se passaient de toute justification. Mais sur le plan des théories et des principes, cette distinction n'existe ni chez Bodin ni chez Loyseau. Il faudra, pour la voir apparaître, une autre ambiance, qui naît dans les années 1630 et s'épanouit avec le règne personnel de Louis XIV.

IV. — Continuité et Ruptures

Tentons de dissiper la dernière équivoque que suggère l'absolutisme : ses frontières chronologiques. Le point terminal se situe dans les années 1750 sur le plan des principes, avant la rupture décisive de 1789-1791. Le point de départ, c'est l'affirmation triomphante du pouvoir royal dès la seconde moitié du XVe siècle. Mais, entre ces deux pôles, s'agit-il toujours du même système ? A lire les juristes, à coup sûr : les meilleures descriptions du système datent de l'extrême fin du XVIIIe siècle, avec Guyot (55). Ces juristes, nécessairement archaïsants, expriment *les pans de la réalité historique* qui ont le moins bougé — lois fondamentales, etc. —. A l'inverse, on ne peut nier les modifications de la pratique politique. Mais l'évolution historique n'est pas univoque, elle est dialectique : ces modifications de la pratique ont conditionné, *mais ont été conditionnées par,* des changements fondamentaux des structures mentales et idéologiques. Dès les années 1630, les choix fondamentaux de Richelieu — la guerre, la surcharge fiscale — vingt ou trente ans plus tard, les difficultés économiques et l'échec de la Fronde, permettent un durcissement du pouvoir. Ce durcissement n'aurait pas été possible sans un certain climat intellectuel et spirituel dont on tentera de rappeler les éléments et les conséquences.

Science, philosophie, et Absolutisme.

On sait que se produisit entre 1620-1630 et 1680-1690 une véritable révolution scientifique et philosophique (56), qui ne se limite pas bien entendu à la France : Galilée, Kepler et Descartes, Leibniz, Spinoza et Newton en furent les héros. Grossièrement, on peut dire qu'au vieux *cosmos* aristotélicien, considéré comme un organisme plein et hiérarchisé, se substitua l'image d'un univers vide et infini; à la physique des qualités, une lecture mathématique du monde; à une réflexion essentiellement déductive, une méthode fondée sur le doute, la raison, et finalement, avec Newton, l'expérience. Dans quel sens cette révolution, compte tenu du décalage entre sa naissance et son impact, a-t-elle infléchi l'image traditionnelle de la monarchie? A court terme, incontestablement, elle fut politiquement conservatrice. On connaît la position de Descartes : mettre « entre parenthèses » Dieu et l'État, soustraire du domaine de la raison les mystères de la foi et de l'organisation sociale. « Je ne saurais aucunement — écrivait-il — approuver ces humeurs brouillonnes et inquiètes, qui, n'étant appelées ni par leur naissance ni par leur fortune au maniement des affaires publiques, ne laissent pas toujours d'y faire en idée quelque nouvelle réformation. » Repli des élites : l'envers de leur contribution capitale au monde que nous vivons. Mais, à long terme, ce bouleversement du monde et de la science sapait les fondements de la tradition. Si le cartésianisme fut condamné et pourchassé sous Louis XIV, si Bossuet dépistait jusque chez Malebranche les indices de la désorganisation, ce n'était pas sans fondements : la fin de la « parenthèse », l'ouverture du domaine religieux et du système politico-social à la critique de la raison et de la méthode expérimentale, réalisées d'abord hors de France (Spinoza, puis Locke) portaient en germe la destruction radicale du système.

Courants religieux et absolutisme.

Les grands courants qui traversent les Églises au XVIIe siècle contribuèrent inégalement à cette évolution. Sans doute le protestantisme, toléré par l'Édit de Nantes (1598), se montra-t-il, en un premier temps, soucieux de participer à l'exaltation de la personne royale. Mais les justifications que donnaient les réformés de leur fidélité étaient étrangères aux justifications traditionnelles, elles n'étaient que l'extension au domaine de l'État de la prédestination calvinienne. En 1657, les délégués des églises réformées pouvaient dire à Louis XIV : « Nous avons dans la politique la même pensée que dans la religion : nous croyons qu'un sujet ne peut jamais rien mériter de son souverain ». Un tel radicalisme, qui faisait table rase des principes et des thèmes populaires ou intellectuels que nous avons évoqués, pouvait, pour l'avenir, déboucher sur la négation et le refus absolu. Après la révocation de l'Édit de Nantes (1685), beaucoup de protestants du Refuge (Hollande Angleterre) s'ouvrirent aux idées philosophiques nouvelles.

On retrouve la même contradiction, à l'intérieur de l'Église catholique, avec le courant augustinien, dont le jansénisme fut à la fois l'aboutissement et l'excroissance. Les jansénistes des premières générations ont été profondément conservateurs, respectueux de l'ordre établi. Mais leur pessimisme, la conscience qu'ils avaient d'un véritable abîme entre la grandeur de Dieu et l'homme corrompu, sapaient les bases spirituelles de l'absolutisme, en ne laissant aucune place ni au roi-héros de la Renaissance ni au roi-justicier de la tradition. Lisons Pascal : « Ne pouvant fortifier la justice on a justifié la force ». « La coutume ne doit être suivie que parce qu'elle est coutume, et non parce qu'elle soit raisonnable ou juste ».

A l'inverse, le courant « moliniste » — disons : le large secteur de l'Église qui intégrait l'humanisme et s'efforçait de concilier Dieu et le monde — a participé au culte du Roi-Héros et cautionné le thème du Roi lieutenant de Dieu sur la terre. C'est par un autre biais qu'il prépare, lui aussi, un climat de vide. La propagation du cartésianisme aux dépens de l'aristotélisme a exercé ses ravages dans les milieux ecclésiastiques en dépit des censures de la Sorbonne (1671) et des condamnations royales. Par là, le catholicisme s'exposait aux dangers dont nous avons parlé plus haut.

Libertinage et absolutisme.

Le conservatisme pessimiste de Pascal rencontrait assez curieusement les positions de ceux qu'on appelait les Libertins (57), c'est-à-dire des petits cercles intellectuels que l'épicurisme ou le matérialisme infléchissaient vers l'athéisme, tout en respectant les pratiques extérieures du catholicisme. La Mothe le Vayer, Cyrano de Bergerac, Gabriel Naudé se conduisirent en farouches défenseurs de l'absolutisme, notamment pendant la Fronde. Mais leur apologie du pouvoir royal, fortement influencée par le machiavélisme, s'écartait complètement des sources traditionnelles et reposait sur une conception pessimiste de l'origine et de l'exercice du pouvoir (la force et la ruse). L'éloge de la *raison d'état* aboutit chez Naudé (« Considérations politiques sur les coups d'état », 1639) à louer la Saint-Barthélemy et l'assassinat des Guises par Henri III. C'est en Angleterre du reste, avec le « Léviathan » de Hobbes (1651), que cette philosophie du pouvoir revêtit la forme la plus achevée.

Tous ces courants, on le voit, convergent dans un nouveau climat où l'absolutisme semble à court terme renforcé et même durci, mais où s'opère dans les profondeurs un véritable travail de sape. *Plus l'absolutisme se renforce, plus il s'affaiblit.* Ce qui ne signifie pas que disparaissent les données traditionnelles. Le roi continue à toucher les écrouelles, le culte du Roi-Héros prend, avec Versailles, les fêtes, le théâtre classique, un extraordinaire développement. Mais des éléments nouveaux s'y insèrent, portant en eux une négation radicale. Dans quelle mesure ont-ils abouti à modifier les principes et les justifications du système ?

Principes et justifications du système.

Beaucoup d'historiens de la fin du XIXe ou du début du XXe siècle, notamment Lavisse (58) et Lacour-Gayet (59), ont prétendu, en s'appuyant sur les écrits de Cardin le Bret (« de la souveraineté du roi », 1632), de

Richelieu, de Louis XIV et de Bossuet, qu'une modification profonde des principes traditionnels aurait abouti à transformer le système en monocratie. Par réaction, les historiens d'aujourd'hui ont parfois tendance — particulièrement Roland Mousnier (60) — à nier ou minimiser les changements. Il ne faut pas confondre deux plans : celui des *principes* et celui des *justifications*.

• Sur le plan des *principes* trois thèmes ont été mis en avant par les partisans de la thèse de la rupture : absorption de l'État par le souverain (monocratie), divinisation du Souverain (monarchie de droit divin), suppression des freins traditionnels (respect des biens et des personnes, lois fondamentales). Or jamais Louis XIV n'a prononcé le fameux « *l'État c'est moi* » qu'on lui attribue. Tout ce qu'il a dicté témoigne qu'il a toujours eu conscience de la priorité et de la pérennité de l'intérêt de l'État. De « droit » divin, la monarchie l'avait toujours été en un sens, mais comme toute forme d'état (« tout pouvoir vient de Dieu »). Et si, à deux reprises (Richelieu d'abord, puis Louis XIV en 1682 avec la Déclaration des 4 articles), on tenta, dans une optique gallicane, de faire proclamer comme loi fondamentale l'indépendance totale du roi à l'égard du Pape, ce fut un échec. (En 1693, Louis XIV désavoua la Déclaration de 1682). Quant aux « freins » et aux lois fondamentales, si on en parlait moins, on ne les oublia jamais. La seule violation caractéristique d'une de ces règles fut l'édit de Juillet 1714 par lequel Louis XIV ordonnait que ses bâtards légitimés succéderaient à la couronne en cas de disparition des descendants mâles issus de Saint Louis. Mais cet édit fut cassé en 1717 et l'on évoqua alors expressément l'intervention originelle du peuple : « Nous espérons que Dieu qui conserve la Maison de France depuis tant de siècles... détournera par sa bonté le malheur qui avait fait l'objet de la prévoyance du feu roi. Mais si la nation française éprouvait jamais ce malheur, ce serait à la nation même qu'il appartiendrait de le réparer par la sagesse de son choix ». Le seul principe nouveau que l'on voit apparaître dans les années 1630, c'est la distinction entre pouvoirs ordinaires et extraordinaires (61). « Necessitas omnem legem frangit », rappelle le Bret, qui précise que « pour subvenir à une nécessité pressante pour le bien public, le prince a la puissance de disposer des terres des par-

ticuliers contre leur volonté ». Il s'agit moins d'une violation des principes traditionnels que d'un principe com-
plémentaire, qui complète l'arsenal juridique en l'adap-
tant aux circonstances nouvelles entraînées par la guerre.

• Les *justifications*, par contre, portent les traces
des courants idéologiques que nous avons examinés.
Deux thèmes, en particulier, se sont développés : le
roi image de Dieu et la Raison d'État (62). Sans doute,
avant même 1630, l'idée que le souverain était la vivante
image de Dieu a-t-elle été souvent exprimée. Mais le
thème se développa et s'amplifia pendant tout le XVIIᵉ
siècle. « Vous êtes des Dieux », disait Bossuet. Et
Louis XIV : « Tenant pour ainsi dire la place de Dieu,
Nous semblons être participants de Sa connaissance
aussi bien que de Son autorité ». Incarnation du Savoir
divin, le roi risquait, à la longue, d'être entraîné dans
ses décombres. Quant au thème machiavélien de la
raison d'état (on traduisit en français le livre de Giovani
Botero : « Della Ragione di Stato » — Turin, 1589), on
le trouve chez Richelieu et chez Louis XIV. Le premier
écrivait en octobre 1642 : « Le gouvernement et la
sûreté des grands états requiert bien souvent des précautions qui dispensent des formes qui s'observent au
cours de la justice ordinaire. » Le second parlait ainsi
des rois : « Ce qu'ils semblent faire contre la loi commune
est fondé le plus souvent sur la raison d'État. » Ces
justifications nouvelles sont doublement importantes.
Elles montrent que les rois n'ont pas échappé à l'ambiance culturelle de leur temps. Elles expliquent que les
contestations du pouvoir royal se soient souvent faites,
on le verra, au nom de la tradition, contre des justifications et des pratiques qui semblaient l'altérer.

Telles sont les grandes lignes du développement des
fondements juridiques et théoriques du système. Il nous
reste maintenant à étudier son fonctionnement.

NOTES DU LIVRE I

(1) Cités dans la note 1 de l'Avant-propos.

(2) Outre le recueil d'articles cité dans la note 1 de l'Avant-propos voir :
— R. MOUSNIER. — Les hiérarchies sociales de 1450 à nos jours, Paris, P.U.F., 1969;
— R. MOUSNIER, J.P. LABATUT, Y. DURAND. — Problèmes de stratification sociale, Paris, P.U.F., 1964.

(3) Louis DUMONT. — Homo hierarchicus. Paris, Gallimard, 1966.

(4) Toute l'œuvre de Georges Dumézil. Voir sur cette œuvre :
— Henriette FUGIER. — La méthode de Georges Dumézil article de la *Revue d'histoire et de la philosophie religieuse*, Paris 1965;
— G. DUMÉZIL. — Mythe et épopée, Tome II, Paris, Gallimard, 1971.

(5) GOUBERT, cité dans la note 1 de l'Avant-propos.

(6) D. RICHET. — Élites et Despotisme, article in *Annales* E.S.C., 1969 n° 1.

(7) Voir tableau généalogique pages 47 et 48.

(8) Voir chapitre suivant.

(9) Cité par R. Doucet, cf. note 1 de l'Avant-propos.

(10) Cf. note 2.

(11) Voir chapitre suivant.

(12) Étienne PASQUIER. — Les Recherches de la France (édition de 1665).

(13) Voir le livre 2.

(14) Sur Jean Bodin, voir plus loin page 45.

(15) « Souffrance » signifie tolérance tacite.

(16) Pasquier, cité note 12.

(17) Cités dans la note 1 de l'Avant-propos.

(18) G. LEPOINTE, cité dans la note 1 de l'Avant-propos.

(19) Voir le livre 2.

(20) Jean EGRET. — Louis XV et l'opposition parlementaire, A. Colin, 1970.

(21) Voir page 45.

(22) Cités dans la note 1 de l'Avant-propos.

(23) Voir le livre 3.

(24) Goubert renvoie aux principes tels que souveraineté de la nation, droits naturels, égalité.

(25) Livre cité à la note 1 de l'Avant-propos.

(26) Voir note 2.

(27) *Ibidem.*

(28) RICHET. — Voir note 6.

(29) Voir page 28.

(30) Article d'Émile LOUSSE in « Schweizer beiträge zur allgemeinem Geschichte » 1958.

(31) P. MESNARD « L'État de la Renaissance et son évolution vers l'absolutisme » dans le tome X de l'*Encyclopédie francaise.*

(32) Sur ces historiens voir Ehrard et Palmade : l'Histoire (collection U, A. Colin, 1964).

(33) Cité dans la note 1 de l'Avant-propos.

(34) Page 26.

(35) « Le Roi de France est empereur de son royaume. »

(36) Cf. le grand livre de Marc BLOCH : les Rois Thaumaturges (réédition chez A. Colin, 1961).

(37) Exposé d'ensemble de Pierre JEANNIN dans : Jean TOUCHARD : Histoire des idées politiques, Collection Thémis, Paris, P.U.F., 1959).

(38) Consulter l'édition Poujol, Paris, Vrin, 1961.

(39) Voir le chapitre 1 du livre III.

(40) Pierre MESNARD. — L'essor de la philosophie politique au XVIe siècle. Paris, Boivin, 1936.

(41) R. VILLERS. — « Aspects politiques et aspects juridiques de la loi de catholicité » article dans *Revue Historique du droit francais et étranger*, 1959.

(42) Voir les ouvrages cités dans la note 1 de l'Avant-propos.

(43) Pour toutes les références chronologiques qui suivent, voir les tableaux généalogiques, pages 47 et 48.

(44) BONTEMPS, RAYBAUD et BRANCOURT : le Prince dans la France des XVIe et XVIIe siècles, Paris, P.U.F., 1965.

(45) Cf. note 41.

(46) Le meilleur exposé est celui d'OLIVIER MARTIN : Histoire de la coutume de Paris, Paris, E. Leroux, 1930).

(47) Jean MEUVRET. — « Comment les Français voyaient l'impôt », article de la revue *XVIIe siècle*, 1955.

(48) Voir le livre II.

(49) Voir page 45.

(50) Voir page 26.

(51) Voir plus loin page 82.

(52) Voir page 25.

(53) Voir les ouvrages indiqués à la note 1 de l'Avant-propos.

(54) MOUSNIER. — Cf. note 2.

(55) GUYOT. — Répertoire universel... 64 volumes, 1775-1781.

(56) Exposé commode chez CHAUNU, cité note 7 de l'Avant-propos.

(57) Bon résumé par Antoine ADAM. — Les libertins au XVIIe siècle, Paris, Buchet-Chastel, 1964.

(58) Lavisse a écrit lui-même, avec l'aide de plusieurs collaborateurs, les trois volumes consacrés au XVIIe siècle dans la vaste « *Histoire de France* » qu'il dirigeait et qui fut publiée chez Hachette.

(59) LACOUR-GAYET. — L'éducation politique de Louis XIV, Paris, 1888.

(60) MOUSNIER. — Cf. note 2.

(61) Voir page 54.

(62) THUAU. — Raison d'État et pensée politique à l'époque de Richelieu, Athènes, Presses de l'Institut français, 1966.

Livre II

LA PRATIQUE DU SYSTÈME

LES PIÈGES
DE L'HISTOIRE INSTITUTIONNELLE

Définir un régime par ce qu'il a pensé et écrit de lui-même, ou par ce qu'en ont tardivement écrit et pensé ses fossoyeurs, nous exposerait à des dangers insurmontables.

Sur le plan théorique, d'abord. Chacun sait depuis Marx que les hommes n'ont pas pleine conscience des déterminations objectives de l'histoire qu'ils font. Nul n'ignore depuis Freud que leur conduite obéit, sur le plan individuel comme sur le plan collectif, à des pulsions dont ils n'ont pas la maîtrise. Notre lecture de l'histoire « moderne » s'opère nécessairement dans l'écrit et le dit, mais à travers des grilles dont nous sommes loin de posséder encore tous les secrets. Du moins pouvons-nous baliser notre chemin de bornes rouges indiquant les pièges qui nous guettent. Ces bornes permettent, en même temps, de préciser et de justifier nos options.

Premier piège : les sources. Longtemps l'histoire institutionnelle de la France « moderne » s'est nourrie presque exclusivement de textes officiels : ordonnances, règlements administratifs, instructions ou lettres adressées aux agents d'exécution dans les provinces. Du même coup, on avait tendance à surestimer l'efficacité de la « monarchie administrative ». Ces documents, si précieux qu'ils soient, ne nous renseignent pas sur l'application réelle des décisions prises en haut; leur répétition même nous inciterait à mettre en doute leur efficacité. Ce sont d'autres sources — notariales, judiciaires, privées — qui permettent aujourd'hui de mieux percevoir les résistances réelles aux ordres émanés du pouvoir central.

Deuxième piège : l'atomisation des études d'institutions. On peut, selon une logique apparente, aborder successivement les conseils du Roi, les agents d'exécution, les corps judiciaires, les organes par lesquels s'exerce la ponction fiscale, le recrutement et l'organisation des armées, les cellules de la vie locale. De très bons ouvrages existent sur presque tous ces points (1), auxquels nous renvoyons nos lecteurs. Notre propos est autre : saisir les grandes lignes du fonctionnement global du système dans son évolution.

Troisième piège : la tentation d'une histoire unilinéaire. Sans doute a-t-on eu raison de montrer l'efficacité croissante, au cours de ces trois siècles, de l'appareil d'état sur les sociétés françaises, les progrès décisifs se situant, semble-t-il, à l'extrême fin du XVIIe siècle et pendant le règne de Louis XV. Mais ces progrès ne se firent pas sans à-coups : périodiquement la conjoncture politique, ou militaire, ou économique, venait remettre en question ce qui était tenu pour acquis.

C'est pourquoi notre démarche s'articulera successivement autour de quatre thèmes. On rappellera d'abord les données chronologiques de cette évolution, les « temps forts » et les « temps faibles » de l'exercice du pouvoir royal, les constantes et les ruptures. On tentera ensuite de décrire les moyens réels d'action dont disposaient les souverains. On évoquera le thème de la « participation » des gouvernés au gouvernement et à l'administration du royaume. On terminera par l'examen des contestations.

I

TEMPS FORTS ET TEMPS FAIBLES

Plus de trois siècles séparent le règne de Louis XI et celui de Louis XVI. Si l'on construisait une courbe de l'autorité monarchique, elle se présenterait comme une succession de dômes et de cuvettes d'ampleur inégale. Avant d'esquisser un schéma explicatif, rappelons très brièvement les grands traits de la chronologie.

I. — La Conjoncture politique

Trois périodes grossièrement séculaires — 1461-1559, 1559-1653, 1653-1750 — peuvent être définies sur notre courbe, chaque période étant elle-même subdivisée selon un rythme plus court, parfois trentenaire et parfois cinquantenaire.

A) *Récupération et croissance inachevée (1461-1559)*

Vu sous l'angle de l'autorité monarchique, ce siècle qui suit les désastres de la Guerre de Cent Ans peut être caractérisé par quatre traits principaux : fin des grandes révoltes féodales et passage à une politique européenne active, extension du domaine où s'exerce l'autorité royale, réforme et création d'institutions monarchiques, inachèvement et contradictions de l'absolutisme.

— *De 1461 à 1492,* c'est-à-dire pendant le règne de Louis XI (1461-1483) et la régence des Beaujeu au nom du jeune Charles VIII (1483-1492), ce fut surtout une politique empirique, imposée par les révoltes incessantes des princes (Ligue du Bien Public en 1465, Guerre folle de 1485, etc.), coalisés avec l'Angleterre. Au prix de compromis tactiques et d'un effort inlassable de rassemblement des terres, Louis XI réussit à réunir à son domaine les possessions de la maison d'Anjou (Anjou, Maine, Provence et Barrois) et une partie de l'héritage bourguignon (dont le duché de Bourgogne). La Bretagne se défendit longtemps, mais, après plusieurs guerres, la duchesse Anne épousa Charles VIII, préparant ainsi une annexion de fait sinon de droit. Ce fut donc un royaume agrandi, libéré de la double menace anglo-féodale, qui put s'engager dans les guerres d'Italie. Mais peu d'ordonnances nouvelles virent le jour (2) et la seule révolution silencieuse qui s'accomplit sous Louis XI fut celle de l'impôt (3). Des grandes réformes demandées par les États Généraux de Tours (1484), rien de durable ne fut réalisé.

— *De 1492 à 1559.* Quatre règnes, l'avènement successif de deux branches collatérales (4), aucune crise. Le fait majeur de ce demi-siècle, ce fut l'engagement du royaume de France dans des guerres européennes (Guerres d'Italie, lutte contre les Habsbourgs) qui permit aux souverains d'employer à des fins utiles une noblesse souvent turbulente. L'alternance de succès et de revers, de traités désastreux et de compromis satisfaisants prit fin avec le traité du Cateau-Cambrésis signé par Henri II peu avant sa mort (1559). La prise de Calais (1558) et l'occupation des trois évêchés lorrains de Metz, Toul et Verdun (1557) marquèrent les seules acquisitions durables de ces longues guerres. A l'intérieur des frontières, le procès fait au connétable de Bourbon permit de réunir au domaine royal le Bourbonnais, le Beaujolais, le Forez et l'Auvergne (1531). Surtout les besoins de la lutte entraînèrent, dans tous les domaines, un effort de centralisation et d'affirmation de l'autorité royale. On l'a vu dans le domaine législatif (5). Ce fut vrai également pour les autres institutions, financières, judiciaires, administratives et politiques. Mais cet effort fut freiné par l'inaptitude des souverains à accroître la ponction fiscale : l'augmentation de la taille ne suivit pas la vague inflationniste (6). Les remèdes auxquels on recourut — le crédit public, la vénalité des offices (7) — faisaient rentrer or et argent dans les coffres, mais accentuaient la fragilité du régime. Fragilité que vont à la fois révéler et accentuer les troubles qui suivirent la mort d'Henri II (1559).

B) *Un siècle de crises (1559-1653)*

Deux grandes crises d'autorité, séparées par des phases de redressement, mais, d'une crise à l'autre, la maturation des conditions de l'épanouissement de l'absolutisme : telles sont les lignes directrices de cette période.

— *De 1559 à 1598*, de la mort d'Henri II à l'Édit de Nantes, la monarchie traverse une crise trentenaire extrêmement grave. On reviendra plus loin sur les aspects politiques (8) et théoriques (9) de cette contestation. Contentons-nous ici d'en indiquer les bornes chronologiques et de souligner les faits saillants. Les trois fils d'Henri II qui se succèdent sur le trône (François II de 1559 à 1560, Charles IX de 1560 à 1574, Henri III de 1574 à 1589) doivent faire face aux divisions profondes provoquées par la Réforme protestante et le raidissement catholique, sur lesquelles se greffent les ambitions opposées de grandes familles princières — Bourbons et Guises (10). De la conjuration d'Amboise (mars 1560) à l'Édit de Beaulieu (1576), le plus favorable des édits de « pacification » accordés aux protestants, on dénombre cinq guerres intestines. A partir de 1576 se constitue, en fait, un État protestant séparé, tandis que La Ligue catholique s'organise hors du contrôle d'Henri III, et que l'Espagne de Philippe II la soutient de ses deniers. En mai 1588, la Journée des barricades chasse Henri III de Paris. Son assassinat (août 1589) fait du protestant Henri de Navarre le roi légitime de la France. Mais la majeure partie du royaume ne le reconnaît pas. Pendant cinq ans, il lui faudra moins reconquérir qu'acheter son royaume par des concessions matérielles (avantages considérables consentis aux princes et aux notables ligueurs) et spirituelles (abjuration du protestantisme en 1593). Après son entrée à Paris (1594), Henri IV mit encore quatre ans avant de régler la crise (paix de Vervins avec l'Espagne, et Édit de Nantes, 1598). Cette phase de crise aiguë — et particulièrement sous Henri III — fut féconde en grandes ordonnances et projets de réformes : mais la monarchie était hors d'état de les faire appliquer dans la pratique.

— *De 1598 à 1630*. La courbe obéit à des zigzag

de faible amplitude : c'est au sommet de l'État (révolutions de palais, intrigues des Grands, agitation des notables protestants) et non dans ses profondeurs que se produisent les retournements apparents. Jusqu'à l'assassinat d'Henri IV (1610), la monarchie semble avoir retrouvé ses moyens d'action : son autorité s'affirme à l'intérieur (échec de la conspiration de Biron en 1604) tandis que se prépare une reprise de la lutte contre la maison d'Autriche. Mais le système reste fragile, comme le révèlent les attentats successifs contre le souverain et les divisions profondes de l'opinion sur la politique extérieure et religieuse. Profitant de la minorité de son fils Louis XIII, la régente Marie de Médicis exclut progressivement de son conseil les vieux ministres d'Henri IV au profit d'un cercle de nouveaux venus, dont l'italien Concini — fait marquis d'Ancre et maréchal de France — fut le principal bénéficiaire. Mais on a exagéré la portée de la « réaction aristocratique » du temps de la Régence : ni les protestants, ni les princes, ni les États Généraux réunis en 1614 ne réussirent à remettre en cause les acquis du régime. Quand, en 1617, Louis XIII secoua la tutelle de sa mère, fit assassiner Concini, ce fut un autre favori, Luynes, qui exerça en fait le pouvoir, sans plus d'efficacité ni à l'égard des princes ni à l'égard des protestants. Ni la mort de Luynes (1621) ni l'entrée de Richelieu au Conseil (1624) ne changèrent fondamentalement ces données.

— *De 1630 à 1648* se produisirent les changements décisifs. Jusqu'en 1629-1630, Richelieu était loin d'être le maître exclusif du Conseil Royal. Deux grandes tendances, dans l'opinion publique comme autour du trône, divisaient les classes dirigeantes par rapport à trois problèmes intimement mêlés : paix ou guerre avec les Habsbourgs (intervention de la France dans la Guerre de Trente ans), tolérance ou extirpation du schisme protestant dans la France travaillée par la Contre-réforme catholique, soulagement ou accroissement de la ponction fiscale pesant sur les masses et génératrice de révoltes. Pour le « parti dévot » — représenté, au Conseil, par le garde des sceaux Michel de Marillac — il fallait maintenir en Europe la paix catholique (donc s'entendre avec la Maison d'Autriche) et profiter de cette paix pour réaliser en France la fin du schisme protestant et le soulagement des masses. Pour Richelieu et le « parti des Bons Français », il fallait lutter contre la puissance des

Habsbourgs, au prix du maintien des conditions essentielles de l'Édit de Nantes et d'une surcharge fiscale, et donc administrative et politique, dont pâtiraient les populations.

La « Journée des Dupes » (10 novembre 1630) fut bien autre chose qu'une révolution de palais avortée (on crut Richelieu disgracié, alors que sa politique finit par l'emporter). Ce fut le grand tournant (11) du siècle : avec Richelieu s'imposait une politique dictée par la guerre, où le pays, comme l'a écrit V.L. Tapié, était « sollicité seulement de payer et d'obéir », et où « l'extrême misère du peuple est désormais consentie comme la rançon de la gloire de l'État » (12). L'abandon des réformes, le durcissement, dans tous les domaines de la politique de Richelieu, puis, après sa mort (1642), de Mazarin, doivent s'observer surtout dans deux secteurs : le tour de vis fiscal et le développement, aux dépens des fonctionnaires propriétaires de leurs offices, d'un corps de commissaires amovibles : les intendants (13).

— *De 1648 à 1653* éclate une crise courte, la « Fronde », dont on reparlera plus loin (14), mais qu'il convient, dès maintenant de situer et de caractériser.

On sait (15) qu'après un conflit avec le Parlement de Paris (mai 1648) et une tentative de coup de force de Mazarin, des barricades sont à nouveau dressées dans la capitale (26-28 août 1648). Repris en janvier 1649 par la fuite de la cour de Paris, le conflit revêtit successivement trois aspects : au début (janvier-mars 1649) le Parlement de Paris semble passer au premier plan, puis — en 1650 — l'agitation des Princes attire surtout l'attention, enfin en 1651-1652, c'est l'anarchie généralisée qui prélude au triomphe du jeune Louis XIV et au retour de Mazarin. Mais ce qu'il faut retenir de ces épisodes aussi précipités que confus, c'est, selon nous, une triple leçon. Cette crise brève fut, à la différence des trente dernières années du XVIe siècle un *combat d'arrière-garde* contre une évolution rendue irréversible par les choix fondamentaux des années 1630 : contre les intendants, contre les impositions et leurs fermiers, que pouvaient les Frondeurs, sinon évoquer avec nostalgie les temps « heureux » d'autrefois ? Ce fut également un temps d'extrême *atomisation* des engagements politiques : princes contre princes, officiers contre intendants, bourgeoisie contre une autre bourgeoisie, un perpétuel chassé-croisé révèle une impuissance historique fondamentale à esquisser une alternative, même condamnée à l'échec. Le fait enfin que le principal objectif des Frondeurs ait été d'abattre non le Roi mais son premier ministre (Mazarin), qu'ils n'ont cessé — pour l'immense majorité d'entre eux — de réclamer la fin du « Ministériat » et le « retour » au gouvernement personnel du souverain montre assez que le système ne fut mis en question que dans ses aspects secondaires. Quand Louis XIV décidera, en 1661, de ne plus choisir de premier ministre, il sera le véritable exécuteur testamentaire de la Fronde. Mais, dans les profondeurs du pays, la pseudo-Fronde avait révélé un malaise grandissant dont on retrouvera les traces.

C) *Splendeurs et misères (1653-1750)*

Après la Fronde, et, quelques années plus tard (1661), l'« *Avènement* » (16), le règne personnel de Louis XIV semble ouvrir une voie nouvelle : « prépondérance française », titrait hier l'auteur d'un excellent manuel (17), triomphe de l'absolutisme, selon d'autres, misères accrues pour les masses, comme le souligne l'historiographie la plus récente (18). Tentons d'échapper au triomphalisme autant qu'au misérabilisme, et de situer sans passion ces évolutions contrastées.

— *De 1653 à 1715* la scène est dominée par Louis XIV, d'abord avec Mazarin, puis sans lui. Malgré des périodes de pauses, la guerre occupe de plus en plus attention, énergie et ressources, rendant vaines les tentatives de remise en ordre des grands commis de l'état : guerre de dévolution (1667-1668), guerre de Hollande (1672-1678), guerre dite de la Ligue d'Augsbourg (1689-1697), crise de la succession d'Espagne (1700-1714). Que le bilan territorial de ces longues luttes ait été dans l'ensemble favorable au royaume (Roussillon, Franche-Comté, Artois et frontière du Nord) plus qu'à son premier empire colonial (perte de Terre-Neuve, de l'Acadie et de la Baie d'Hudson), on le sait assez. Que l'effort fiscal et humain ainsi exigé ait considérablement aggravé les conditions de vie de la population, on le saisit de mieux en mieux. Ce qui importe, pour nous, c'est de voir que le durcissement du système, entamé sous Richelieu, se poursuit de plus en plus nettement : confusion des pouvoirs ordinaires et des pouvoirs

« extraordinaires », limitation du rôle des Parlements et des États-Provinciaux, domestication dorée de la noblesse etc. En un sens la pratique de l'absolutisme se perfectionne, de même que ses rouages administratifs. Mais en même temps le fossé se creuse entre le régime et l'opinion éclairée (19).

— *De 1715 à 1723*, ce fut Philippe d'Orléans, d'abord régent pendant la minorité de Louis XV, puis premier ministre de son royal neveu, qui dirigea les Affaires. On a longtemps qualifié de « réaction aristocratique », et, plus récemment (20), de « contre-révolution » l'époque de la Régence. A s'en tenir aux apparences — création de conseils peuplés de nombreux grands seigneurs, ou *Polysynodie* — cette réaction affleure; et, à un plan plus profond, elle traduit — mais dans un sens très ouvert sur l'avenir — les frustrations légitimement accumulées pendant les dernières années du règne de Louis XIV. Mais, comme on l'a bien prouvé (21), la machine politico-administrative mise en place pendant le règne précédent n'a jamais cessé de fonctionner : l'efficacité du système tend même à s'accroître. A la faveur de la paix retrouvée, les institutions nées de la guerre se maintiennent. Faut-il, avec R. Mousnier (22), s'en étonner? Il existe une loi de croissance intrinsèque des institutions qui explique qu'à partir d'une certaine durée elles ne soient plus liées aux circonstances qu'ont favorisé leur naissance, mais poursuivent leur vie propre.

— *De 1723 à 1750*, Louis XV et ses premiers ministres successifs (Duc de Bourbon jusqu'en 1726, cardinal Fleury jusqu'en 1743) arbitrent tant bien que mal les problèmes extérieurs et intérieurs (religieux et parlementaires) qui leur sont imposés. A l'abri de cet écran tant décrié, un immense labeur législatif, administratif et réformateur, est accompli. Dans tous les domaines, la monarchie administrative atteint sa plus grande efficacité et sa plus grande modernité. Mais la crise des esprits (23) se poursuit avant de susciter, après 1750, un véritable divorce.

II. — Répétition et Évolution

Le commentaire de cette courbe impose de distinguer ce qui fut répétition de situations comparables et ce qui fut évolution continue.

On observera d'abord que les périodes de minorité et de régences ont toujours favorisé un certain affaiblissement de l'autorité royale. Régence de Catherine de Médicis pendant la minorité de Charles IX, régence de Marie de Médicis pendant celle de Louis XIII, régence d'Anne d'Autriche avant et au début de la Fronde : un mécanisme se déclenche qui va de l'opposition ouverte des Princes insatisfaits aux doléances des États Généraux ou du Parlement de Paris. Il est, du reste, fort naturel qu'une telle situation fût propice à l'expression de mécontentements. Résister aux ordres d'un roi majeur et sacré, c'était encourir le crime suprême : le crime de lèse-majesté. Se lever contre une Régente ou son premier ministre, c'était en appeler à un roi mineur mieux conseillé, c'était remplir les fonctions traditionnelles revendiquées par les Princes et les États Généraux. Par contre la régence de Philippe d'Orléans pendant la minorité de Louis XV ne donna lieu à aucune crise grave. Il y eut bien quelques complots, le Parlement de Paris profita du droit de remontrances qui lui avait été rendu, mais rien ne se produisit qui pût mettre sérieusement en danger le gouvernement. Pourquoi ? parce que le tournant décisif du XVIIᵉ siècle portait ses fruits et que l'absolutisme était assez solidement implanté pour supporter une minorité.

Le lien entre guerre extérieure et paix intérieure, entre paix extérieure et troubles civils est plus complexe. Incontestablement, il y eut au XVIᵉ siècle un enchaînement chronologique étroit entre ces deux types de situations. A peine Charles VIII en eut-il fini avec la dernière grande révolte féodale, que commencèrent les guerres d'Italie. A peine Henri II eut-il signé la paix du Cateau-Cambrésis que s'ouvrit en France même la crise des guerres de religion. Tout se passe comme si la noblesse ne pouvait s'employer qu'à guerroyer à l'étranger, ou à tirer l'épée au service d'une cause intérieure, religieuse ou princière. Les contemporains en eurent d'ailleurs une conscience très nette. Monluc écrivait, au plus fort des guerres civiles : « Il faut penser ou de batre les autres ou de s'entrebatre soymesmes. Si on pouvait tousjours vivre en paix, cela serait bon... mais cela ne peut se faire. Ainsi, Sire, je dis et soustiens que c'est un mauvais conseil de faire la paix, si par mesme moyen vous ne songez à commencer une guerre estrangère. » Mais ici encore le tournant des années 1630 fut décisif. La politique de guerre menée par Richelieu et poursuivie par Mazarin provoqua, à court terme, l'explosion de la Fronde (alors que continuait la lutte contre l'Espagne). A long terme, la guerre perpétuelle et tout ce qu'elle entraîna (notamment la domestication de la noblesse) allait briser les ressorts de toute résistance armée. La monarchie du XVIIIe siècle en tira tout le profit.

Plus encore que la guerre, la pression fiscale qu'elle exigea fut le facteur décisif du développement des pratiques absolutistes. Louis XI, le premier, accrut considérablement cette ponction. La taille — c'est-à-dire l'impôt direct — qui rapportait 2 700 000 livres tournois en 1474 passa à 4 600 000 livres en 1481, et ceci en période déflationniste. L'incapacité des successeurs de Louis XI à maintenir, sinon augmenter cette charge, fut sans doute le secret de l'échec absolutiste du XVIe siècle.

La taille augmenta beaucoup moins vite que les prix. De 2 700 000 livres en 1490, elle passa à 7 120 000 livres en 1576 : somme dérisoire dans la flambée inflationniste que connaissait la France. Ce fut Richelieu, comme on l'a récemment montré (24), qui réalisa une véritable révolution du prélèvement fiscal. L'impôt direct nominal fit plus que tripler entre 1624 et 1661, et le prélèvement ainsi opéré sur le revenu brut des terres passa de 6,2 % à 13 %. Le développement parallèle des impôts indirects — qui prit sous Colbert le plus d'ampleur — donnait à la monarchie les ressources considérables exigées par la guerre.

Or cette révolution de l'impôt entraîna toutes les autres. Pour le faire rentrer vite et bien il fallut s'adresser à de riches prêteurs, les *partisans* ou *fermiers*, ou *traitants* qui avançaient au Roi les sommes dont il avait besoin et se chargeaient ensuite de prélever l'impôt pour leur propre compte. Devant les résistances et les révoltes antifiscales (25), il fallut développer un corps de commissaires amovibles munis des pleins pouvoirs : ce fut l'origine des *intendants*. Pour manier, gérer, employer des sommes aussi considérables, il fallut réformer les conseils du roi, améliorer leur travail, avoir recours à la prévision. Dans tous les domaines se multiplièrent les agents d'exécution qui constituèrent la bureaucratie royale.

L'absolutisme fut, en grande partie, l'enfant de l'impôt.

CEUX QUI GOUVERNAIENT

Une description même sommaire des moyens d'action dont disposèrent les rois de France nous exposerait à répéter, moins bien, ce que des historiens particulièrement qualifiés ont déjà écrit, et nous entraînerait bien au-delà des limites de ce petit livre. Concentrons notre attention moins sur les fonctions que sur les hommes : quel matériau humain servit à la gloire de l'État monarchique ? De quelle nature étaient les rapports réciproques entre ces « serviteurs » et l'État ? Comment se développa, aux étages supérieurs de la société globale, un monde aux fonctions diversifiées, composé d'intérêts à court terme antagonistes, mais dont l'homogénéité sociale est aveuglante pour peu qu'on le situe par rapport à la masse des gouvernés ?

I. — LES SERVITEURS-DOMINANTS

Entre le fonctionnement réel des institutions de l'Ancienne France et ce dont nous avons quotidiennement l'expérience, le décalage est tel qu'un minimum de précautions s'impose à qui veut éviter l'anachronisme.

Première précaution : ce que nous appelons la « fonction publique » faisait tellement corps avec son titulaire qu'il est impossible de retracer l'histoire de tel conseil ou de tel poste sans écrire celle des individus qui l'ont présidé ou occupé. C'était une personnalité qui donnait à une charge, jusqu'à lui secondaire, une importance exceptionnelle, ou, au contraire, faisait passer au second plan une fonction auparavant capitale en raison de son ancien titulaire. Même devenu principal ministre, Richelieu ne reçut jamais d'attributions précises : son influence s'exerça, au travers des diverses charges dont il était revêtu, dans le cadre des institutions existantes, assez floues. A l'inverse, la dignité des chanceliers de France connut au XVIe siècle une phase glorieuse grâce à d'éminents hommes d'état — un Poyet, un Michel de l'Hospital — puis fut éclipsée (non en préséance, mais en efficacité) au XVIIe siècle à cause de titulaires plus médiocres. L'homme créait sa fonction dans des proportions aujourd'hui impensables.

A vrai dire, ces personnalités étaient moins des individualités que des membres de familles, de lignages, enserrés par des liens de clientèle et de fidélité dont il est nécessaire de prendre la juste mesure. L'importance de ces réseaux se manifeste à deux plans. Au plan gouvernemental, ce fut l'existence de véritables dynasties de grands commis dont les membres se succédaient au service du roi : au XVIe siècle les Robertet, les Laubespine, les Villeroy; plus tard les Colbert, les Le Tellier, les Phélippeaux, les Lamoignon... Mais, à un plan moins apparent, on retrouve l'existence de ces liens de clientèle : l'homme que le roi place à un poste important (premier ministre, chancelier, etc.) est lui-même entouré de « fidèles » parents ou protégés qu'il place aux postes de commande. Ainsi se constituait une cascade de fidélités qui permettait au régime de survivre. La démonstration en a été faite pour l'époque de Richelieu (26). Nos habitudes démocratiques — même lorsqu'elles sont tempérées par un certain scepticisme — nous conduiraient indûment à porter un jugement péjoratif sur ces pratiques. Mais cette séquelle caricaturale de l'ancienne pyramide féodale était pour les souverains la meilleure des garanties : ces réseaux parallèles assuraient mieux que les institutions officielles la continuité de l'État.

Les avantages étaient réciproques, et c'est pourquoi, du système féodal, le système des clientèles n'avait conservé que les apparences. Au lieu de disposer de ressources propres qui leur eussent garanti l'indépendance, les lignages de serviteurs du roi vivaient, directement ou indirectement, des ressources de l'État, et donc du prélèvement fiscal. Directement : c'étaient les gages, les pensions, les donations exceptionnelles. Indirectement : c'était la possibilité de participer en sous-main à l'affermage des impositions. Mélange complexe de modernité et d'archaïsme : le service de l'État (celui aussi des Grands Seigneurs) les enrichissait, mais sans commune mesure avec les fonctions exercées ni la rétribution officielle de ce service. Les nombreuses études que les collaborateurs de Roland Mousnier ont menées sur les fortunes des hauts fonctionnaires de l'Ancienne France (27) confirment la part prépondérante, sinon exclusive, de la rente foncière octroyée à ses serviteurs par la monarchie, qui vivait elle-même du revenu paysan. Dans une société où l'ascension individuelle ne bénéficiait que secondairement des voies indépendantes offertes par l'Angleterre voisine, l'État était à la fois un pactole, une sécurité et le chemin le plus noble des réussites familiales. Ce fut là une empreinte essentielle de la monarchie des Temps Modernes sur la société française : le service de l'État est resté, jusqu'à nos jours, une marque de noblesse.

Peut-on mesurer ces réussites ? Dénombrer les fonctionnaires de l'État et comparer leur effectif au nombre des sujets du royaume ? R. Mousnier (28) a tenté de le faire pour deux périodes : 1515 et 1665. A partir de sources assez approximatives, il conclut qu'en 1515 il devait y avoir 1 officier du roi pour 115 km^2, et, compte tenu de leur famille, une personne pour 950 habitants. En 1665 : 1 officier pour 10 km^2, une personne pour 76 habitants. Ces chiffres, pour discutables qu'ils soient, indiquent bien l'extraordinaire croissance du nombre des bénéficiaires du système. Encore ces données statistiques sont-elles antérieures à la période du grand développement de la bureaucratie.

Ces serviteurs, ces « ministres » — au sens étymologique du terme — sont en même temps des *dominants*. Sans entrer encore dans les débats concernant leur appartenance à tel ordre (noblesse ou bourgeoisie) ou leurs divisions internes, et secondaires, le fait saillant est que, par leurs prélèvements, par leurs fonctions et par leur culture, ils participent au premier plan au travail gigantesque de rationalisation, c'est-à-dire de progrès et d'oppression, qui s'accomplit du XVIᵉ au XVIIIᵉ siècle.

II. — Les Gens du Roi : officiers et commissaires

A l'origine le mot « office » désignait n'importe quelle fonction, de gestion, d'administration ou de justice, confiée par le roi à un particulier et révocable par lui. Mais très tôt cette possibilité théorique de révocation fut limitée par les pratiques de l'inféodation (érection d'un office en fief) et de l'affermage (on louait une fonction moyennant un bail annuel).

Du XIVe au XVIe siècle une triple évolution se produisit.

• Le service public se distingua du service domanial, et l'office fut considéré comme une fonction *publique*. C'est sur cet aspect qu'insistèrent les juristes et les théoriciens. « L'officier est la personne publique qui a charge ordinaire limitée par l'édit », écrivait Jean Bodin. Et Loyseau : « L'office est dignité ordinaire avec fonction publique. »

• Le mot « office » cessa d'être étendu aux fonctions inféodées ou affermées (ces pratiques tendant à disparaître) pour être réservé aux fonctions rétribuées par des gages.

• L'office devient progressivement un bien patrimonial et héréditaire. La vénalité des offices, sans cesse dénoncée et déplorée, mais fille des besoins financiers croissants de la monarchie, revêtit deux formes principales : vente directe par le roi ou son intervention dans les transactions entre particuliers. La première fut officialisée par la création en 1522 de la Recette des parties casuelles, chargée (entre autres missions) de recevoir le produit des ventes. La seconde se développa par paliers successifs. Pour limiter la résignation « in favorem » (abandon d'un office par son titulaire en faveur d'un résignataire) on imposa, en 1534, la clause des quarante jours : si le résignant ne survivait pas plus de quarante jours après l'expédition des lettres de provision, l'office revenait au roi. En 1568, on décida que les familles des officiers qui paieraient au roi le « tiers denier » (taxe représentant le tiers de la valeur de l'office) disposeraient librement de leur office. Enfin le célèbre édit de décembre 1604, connu sous le nom de *Paulette*, consacra définitivement la patrimonialité et l'hérédité, moyennant le paiement annuel d'une taxe (1/60e de la valeur de l'office) et un droit de mutation (1/8e de sa valeur).

Le roi pouvait toujours, à côté de ces officiers devenus

en fait inamovibles, nommer des *commissaires*, c'est-à-
dire confier des fonctions extraordinaires et limitées à
des personnes révocables. Il en usa constamment ainsi
pour les plus hautes charges de l'État et, avec le développement des intendants, s'en servit au XVIIe siècle
comme d'une arme efficace contre les officiers trop
indépendants. Mais on n'insiste pas assez sur le fait
que les officiers eux-mêmes étaient, *en droit*, des commissaires. A la fin du XVIIIe siècle encore, le juriste
Guyot pouvait écrire : « Il y a plusieurs sortes de commissaires : les uns sont en titre d'office ou commission
permanente, les autres n'ont qu'une simple commission
pour un temps limité et pour une affaire particulière. »

Les officiers ne constituaient pas un monde homo-
gène. Des divisions horizontales et verticales doivent
être opérées. Horizontalement — c'est-à-dire par secteur
d'activité — on distinguait deux grandes catégories,
les offices de judicature rétribués par gages et épices,
les offices de finances rétribués par taxations. Les
premiers allaient des charges les plus hautes (présidents des Cours souveraines : Parlements, Chambre
des Comptes, Cour des Aides) jusqu'aux fonctions
subalternes des tribunaux inférieurs (baillages et pré-
vôtés). Les seconds comprenaient également une échelle
à nombreux degrés, avec en tête les Trésoriers généraux des Finances. Ce qu'il faut souligner, c'est que les
uns et les autres étaient chargés de fonctions administratives, encore que leur titre n'en fît pas état. Certains
juristes ajoutent une troisième catégorie, celle des
offices « domaniaux » (notaires, huissiers, greffiers)
mais la plupart considèrent qu'ils ne relevaient pas de la
fonction publique.

Une hiérarchie verticale, liée à la fois à la valeur de
l'office et au prestige social qui y était attaché, est plus
encore perceptible. Selon R. Mousnier, on distingue
jusque vers 1604 trois groupes. Le peloton de tête
comprenait les présidents des Parlements et autres cours
souveraines, les maîtres des requêtes de l'Hôtel, les
conseillers des cours souveraines, les Trésoriers Généraux de France. Ensuite les conseillers de présidiaux
et de baillages, les élus (officiers de finances dans des
ressorts appelés élections). Enfin le groupe des notaires,
huissiers et sergents. Après 1620, le Parlement se détache
du reste des officiers. Mais cette hiérarchie fut toujours
assez mouvante.

Le rôle politique des officiers a varié selon les époques; mais, dans l'ensemble, ils ont constitué l'appui le plus solide de la monarchie. C'est un point très important à souligner, parce qu'il est aujourd'hui contesté par tout un courant de l'historiographie. Pour la seconde moitié du XVe siècle et l'ensemble du XVIe siècle, il n'y a guère matière à débat. Nul ne nie que le corps de ces serviteurs de l'État dont le patrimoine était lié à sa pérennité a donné aux souverains une assiette élargie. L'historien italien Frederico Chabod avait raison d'écrire que l'État de la Renaissance fut l'État des Officiers : l'identification de leurs intérêts à celui du pouvoir centralisé, une culture juridique valorisant la notion d'« imperium », une méfiance légitime à l'égard des forces centrifuges, tout les poussait à soutenir un roi absolu, mais aux pouvoirs limités par la tradition. On le vit bien dans la crise qui suivit la mort d'Henri III : malgré les déchirements de conscience provoqués par la religion du nouveau souverain, l'immense majorité des officiers se rallièrent à Henri IV. A court terme, la vénalité des offices, loin d'engendrer des périls pour la monarchie, contribua à en consolider les bases.

Le véritable problème se pose quand on aborde le second tiers du XVIIe siècle. La guerre et le sur-prélèvement fiscal entraînèrent, dès les années 1630, le développement des commissions d'intendants, qui dépossédèrent les officiers de finances d'un grand nombre de leurs attributions anciennes. Solidaires de leurs collègues, frappés en tant que seigneurs et propriétaires par l'abaissement du revenu paysan provoqué par le fisc, les officiers de judicature — essentiellement les Parlementaires — auraient réagi par l'inertie, le sabotage, puis la Fronde : telle est du moins la thèse soutenue par R. Mousnier (30), qui voit dans le conflit commissaires-officiers, c'est-à-dire monarchie-officiers, un enjeu fondamental. On ne niera pas, bien entendu, les tensions provoquées par l'extension des commissions, ni que la suppression des intendants n'ait été, pendant la Fronde, une revendication mobilisatrice. Il s'agit là, à mon sens, d'une contradiction secondaire dont il ne convient pas de surestimer la portée. Officiers et commissaires appartenaient au même milieu social : celui de la robe. Les mêmes personnages étaient à la fois officiers et commissaires : les intendants se recrutaient parmi les maîtres des requêtes de l'Hôtel, et le Premier

Président au Parlement de Paris était à la fois proprié-
taire de sa charge de président et commis à sa fonction
de « primus inter pares ». Pendant la Fronde, les officiers furent divisés ; et les plus « frondeurs » se montrèrent
singulièrement respectueux de la prérogative royale.
Ajoutons que, tout au long du « siècle de Louis XIV »
et du « siècle de Louis XV », ce fut dans le corps des
officiers que la monarchie puisa les éléments de sa très
efficace bureaucratie. Les clivages politiques réels — et
notamment l'attitude des Parlements, pendant la Fronde
et sous Louis XV — obéirent moins à la nature de la
fonction (patrimoine ou commission révocable) qu'à
l'*image* que culture et tradition assignaient à cette fonction. Cette image, c'était le service du Roi qui la façonnait.

Elle était liée aussi à la place occupée par les serviteurs du roi, officiers ou commissaires, toujours
robins, dans la hiérarchie sociale, celle des ordres (31)
et des États. Place insolite dans une société dont les
valeurs fondamentales obéissaient à l'antique division
tripartite entre ceux qui prient (le clergé) ceux qui se
battent (la noblesse) ceux qui travaillent (le « Tiers
État »). La contradiction était telle entre ce système
traditionnel de valeurs et la classe conquérante des
robins qu'on songea un moment (1558) à en faire un
ordre distinct, un « quatrième état ». J'ai montré
ailleurs (32) pourquoi ce projet ne pouvait aboutir.
La robe était-elle « bourgeoisie » ou noblesse ? Matière,
depuis plusieurs années, à d'innombrables débats et à de
sérieuses études statistiques. Débats arbitrairement
« idéologisés » comme celui qui opposa l'historien soviétique Porchnev à Roland Mousnier (33). Pour le premier, il s'agirait d'une caste issue de la bourgeoisie,
mais trahissant sa propre mission pour s'intégrer à
l'ordre « féodalo-absolutiste ». Mousnier dépiste, en
eux, même « affublé d'un titre de chevalier, même baron,
même président de Parlement » des bourgeois nettement
distincts des gentilshommes de race. Avouons-le :
ce débat laisse échapper l'essentiel, la place spécifique
de la robe dans le monde dirigeant. Les études statistiques (34) semblent offrir plus de garanties, mais leurs
conclusions sont maigres par rapport au travail accompli :
que du XVIe au XVIIIe le recrutement des officiers ait
été de plus en plus « nobiliaire », que l'ancienneté de leur
noblesse augmente avec les générations, quoi de plus
évident ? Les principaux offices conférant la noblesse,

la tendance naturelle portant, on l'a vu, à la constitution de lignages, c'est le contraire qui serait étonnant. Le seul problème historiquement important est celui de l'osmose et de la résistance à cette osmose entre les deux secteurs du monde dirigeant qu'étaient la vieille noblesse d'épée et cette aristocratie de robins. On peut penser, en l'absence de travaux quantitatifs, que cette osmose s'opéra tardivement, sur un plan essentiellement culturel (35), et fut limitée au petit monde parisien ou aulique des grands seigneurs et des grands robins (36). Au plan de provinciaux écartés par le système, elle ne se réalisa pas : ce fut peut être l'une des origines du radicalisme de la Révolution Française (37).

III. — AU CŒUR DU SYSTÈME

— Situons-nous dans ce milieu de robins : pour un jeune homme de vingt-cinq ans, qui a accompli sa scolarité normale et conquis ses titres aux Facultés de Décret (droit) quel est le « *cursus honorum* » idéal, le modèle, dirions-nous, d'une carrière espérée et possible ? Un exemple précis — celui de Pierre Séguier qui finit sa vie chancelier de France — permettra de reconstruire sans trop d'arbitraire ce modèle (38). Petit-fils d'un président du Parlement de Paris, fils et neveu de grands robins, Pierre Séguier débuta comme avocat au Parlement; ce n'était pas un office, mais une fonction libre (non liée au service de l'État), assortie toutefois d'une dignité qui en faisait l'indispensable échelon pour tous les fils ambitieux de la robe. En 1612 — il a vingt-cinq ans — il put acheter à un cousin, et moyennant un emprunt à ses parents, un office de conseiller au Parlement de Paris (55 000 livres tournois). Six ans plus tard, il revend cet office et achète celui, beaucoup plus important, de maître des requêtes de l'Hôtel. Pourvu, en 1621, de commissions d'intendant en Auvergne, il succède à l'un de ses oncles en 1624 comme président au Parlement de Paris (125 000 livres). Choisi par le roi en 1633 comme garde des sceaux, il devient deux ans plus tard chancelier de France, c'est-à-dire titulaire du plus considérable office de la couronne. Destinée exemplaire ? Non, dans la mesure où tous ne parvenaient pas à un tel sommet : à côté de réussites spectaculaires combien de demi-réussites (Séguier aurait pu finir

président au Parlement), sans compter les échecs. Oui,
cependant, parce que ce « cursus » permet de suivre le
processus normal de l'entrée au cœur du système :
une solide tradition familiale du service du roi, le passage par les Cours souveraines, la fonction aussi prometteuse qu'ambiguë de maître des requêtes (c'étaient
des officiers, mais parmi eux se recrutaient principalement les commissaires), l'accès enfin aux conseils d'administration et de gouvernement du royaume.

— Ces conseils, les grands commis qui y siégeaient,
les bureaux qui, au XVIIIᵉ siècle, préparèrent leur travail : un immense domaine d'histoire institutionnelle
dont on se contentera ici, d'indiquer les voies principales. Trois lignes d'évolution doivent être suivies :
le déclin du rôle public des « grands officiers de la
couronne », le recours de plus en plus indispensable à
de grands commis dont les tâches eurent tendance à se
spécialiser, une division accrue du travail à l'intérieur
du Conseil du Roi.

• Pendant la plus grande partie du Moyen Age les
serviteurs du roi qui résidaient avec lui avaient été
chargés à la fois de fonctions domestiques et de fonctions
administratives. Ce fut l'origine des « grands officiers
de la couronne » dont, au XVIIᵉ siècle encore, un Loyseau
était embarrassé de définir la nature : « Tous les chefs
et premiers officiers des fonctions principales de l'Estat,
soit de la guerre, soit de la justice, soit des finances ou
finalement de la Maison du Roi, pour avoir un titre
particulier par dessus les autres officiers de sa Majesté,
se sont qualifiés officiers de la couronne. » Si l'on part
de la déclaration d'Henri III du 3 avril 1582 fixant
leurs préséances, et qu'on la compare à l'évolution réelle
des fonctions, on s'aperçoit que, sauf la dignité de
chancelier, tous ces offices de la couronne (théoriquement distincts et supérieurs, d'après cette même déclaration, aux offices de la maison du roi) échappaient aux
tâches de la fonction publique. Le connétable de France ?
Après Montmorency (sous Henri II), il ne joua plus de
rôle politique, et, du reste, la charge ne fut plus pourvue
après 1627. L'Amiral de France ? Après d'Annebault
(sous François Iᵉʳ) et Coligny (pendant les guerres de
religion), cette charge, supprimée par Richelieu (qui
s'était fait nommer grand-maître de la navigation et du
commerce), rétablie par Louis XIV pour son fils adul-
térin le comte de Toulouse, devint purement honori-

fique. Ni le Grand Maître de France (qui avait la surin-
tendance des services de la Maison du Roi) ni le Grand
Chambellan (chef des gentilshommes de la Cour)
ni les Maréchaux de France, ni les autres charges
haussées après 1582 à la dignité d'offices de la couronne
(colonel général de l'infanterie, capitaine général de
l'artillerie, grand écuyer de France) ne concernèrent
le gouvernement du royaume. Seul le chancelier, inamovible et inviolable, chef suprême de la justice, pré-
sidant tous les conseils en l'absence du roi, garde du
sceau royal, gardien des Universités, des Académies,
censeur de tout ce qui s'imprimait et se publiait, dirigeant des effectifs nombreux de fonctionnaires (les
notaires et secrétaires du roi), conserva jusqu'en 1789
un rôle politique de premier plan. Comme l'office était
inamovible, les rois, lorsqu'ils voulaient disgracier un
chancelier, lui ôtaient les sceaux qu'ils commettaient
à un « garde des sceaux ». Le XVIe siècle connut de très
grands chanceliers : un Poyet, un Michel de l'Hospital.
Le long passage à la chancellerie de Pierre Séguier
(1635-1672) ne rehaussa pas la fonction. Ce fut sous
Louis XV, avec Maupeou, qu'on connut à nouveau
un chancelier qui fut en même temps un homme
d'état.

• Le grand fait institutionnel des XVIe et XVIIe siècles
fut l'importance croissante prise par les quatre *secré-*
taires d'État. Comme l'a bien montré N.M. Sutherland (39), ce furent quelques dynasties familiales — les
Robertet, les Villeroy, les Bourdin, les Brulart — qui
transformèrent les fonctions d'abord subalternes de
« secrétaires des commandements et finances » et en
firent un rouage essentiel du gouvernement. Contrairement à une idée largement répandue, ce fut plus à la
faiblesse qu'à la volonté du pouvoir royal que les secrétaires d'état durent l'accroissement de leurs pouvoirs.
En 1582-1586, au moment où la monarchie semblait
s'évanouir, ils acquirent une autorité ministérielle (au
sens actuel du terme). La tendance à la spécialisation de
leurs tâches ne triompha que très lentement. Les lettres
patentes de 1547 attribuaient à chacun de ces quatre
personnages un « département », à cheval à la fois
sur des provinces françaises et des pays étrangers. Dans
la seconde moitié du XVIe siècle et jusqu'à 1661, l'habitude se prit de réserver les affaires étrangères à un seul
d'entre eux, celui dont l'autorité et la compétence

s'imposaient. Pendant le règne personnel de Louis XIV, l'organisation se fixa, non sans cumuls ni influence déterminante des personnalités et des lignages. Au secrétaire d'état aux Affaires extérieures se joignaient ainsi : le secrétaire à la Guerre (qui s'occupait également des provinces frontières), le secrétaire à la Marine (qui administrait aussi les colonies), le secrétaire à la Maison du Roi (ministre de la Cour et de Paris). Si l'on songe que Colbert cumula deux de ces fonctions — sans compter celle de *Contrôleur général des finances* créée pour lui en 1665 et qui se transforma en fait en ministère de l'intérieur — que les Le Tellier se succédèrent de père en fils à la Guerre, on saisit combien joua, dans le progrès de l'appareil d'état, le rôle de certaines familles. En tous cas, le XVIIIe siècle hérita de ces structures : les six personnages qu'on appelle improprement « ministres » (on verra à qui était réservé ce titre), c'est-à-dire le Chancelier, le Contrôleur général des finances et les quatre secrétaires d'état administraient le royaume. Mais tous n'avaient pas automatiquement accès aux conseils.

   • De l'ancienne « *Cour-le-Roi* » (Curia Regis) qui avait réuni, au Moyen Age, l'ensemble des conseillers de la couronne, s'étaient successivement détachés, pour se stabiliser comme institutions judiciaires ou contentieuses spécialisées, le Parlement de Paris, la Chambre des Comptes, et plus tardivement (sous Louis XI) le Grand Conseil. Restait le Conseil du Roi proprement dit, ou « *Conseil privé* » ou « *Conseil d'État* », c'est-à-dire l'entourage traditionnel du roi justicier et administrateur, organisme très lourd où s'imposa très tôt une division des tâches. Théoriquement, le Conseil restera *unique* jusqu'à la Révolution. En pratique, selon les matières discutées, les personnes appelées à y siéger, et les jours de la semaine, deux types de réunions — qui portèrent des noms divers — eurent lieu : les réunions consacrées aux affaires de gouvernement, celles qui concernaient la justice et l'administration courante. Dès Louis XI, les souverains groupèrent autour d'eux un nombre restreint de conseillers qui constituaient le véritable gouvernement. Les ambassadeurs et les courtisans du XVIe siècle baptisèrent « *Conseil des Affaires* » ou « *Conseil secret* » ces réunions restreintes qui n'avaient pas encore d'existence officielle. Après 1643, ce conseil restreint fut baptisé « *Conseil d'en Haut* », dont l'orga-

nisation se précisa après 1661; les membres que le roi
y appelait portaient seuls le titre de « ministre d'État »;
en faisaient toujours partie, outre le premier ministre,
le chancelier, le contrôleur général des Finances, et le
secrétaire d'État aux affaires extérieures; d'autres
personnes y participaient, selon les exigences du moment
et le bon vouloir du roi. Mais la complexité croissante
des tâches de gouvernement imposa la création d'autres
sections du Conseil du Roi, également présidées par le
souverain, et donc considérées comme conseils de gouvernement : « *le Conseil des dépêches* », qui s'organisa
après la Fronde, et se spécialisa sous Louis XIV dans
les affaires intérieures du royaume (les 6 grands commis
y participaient obligatoirement), le « *Conseil royal des
finances* » (créé en 1661) chargé de la gestion du budget
de l'État, et (après 1730) le « *Conseil royal du commerce* »
(supprimé en 1787). Au XVIIIe siècle, une double évolution se produisit. D'une part le Conseil des dépêches
prit une importance croissante et fut considéré presque
comme l'égal du Conseil d'en Haut (le premier s'occu-
pant des affaires intérieures et le second des affaires
étrangères). Surtout se développèrent des *comités de
ministres*, travaillant hors de la présence du roi, et chargés
de préparer les séances des conseils : institution très
moderne, sans doute influencée par l'exemple anglais.

Les sections judiciaires et contentieuses du Conseil du
Roi se distinguaient par deux traits des conseils de
gouvernement : elles n'étaient pas présidées par le
Roi (mais par le Chancelier); elles occupaient un personnel spécialisé et stable, les *conseillers d'état* et les
maîtres de requêtes. Au XVIe siècle, un certain empirisme
règnait. Certains jours, le conseil consacrait ses séances
aux procès civils que le Roi entendait évoquer pour les
soustraire à la justice ordinaire : on parlait alors de
« *Conseil privé* » ou « *Conseil des Parties* ». D'autres jours, il
s'occupait des finances, et surtout du contentieux des
finances : on parlait alors de « *conseil des finances* ».
Composées du même personnel (conseillers d'état, maîtres
des requêtes, intendants des finances), ces deux sections
toujours distinctes dans la pratique constituèrent à partir
de 1670 un organisme officiellement unique : « *Le
Conseil d'état privé, Finances et Direction* ». C'était là
où se formait la pépinière des grands serviteurs de l'état :
devenir maître des requêtes, être pourvu d'une commission d'intendant, puis d'un brevet de conseiller

d'état, autorisait, on l'a vu, tous les espoirs. C'était ce petit monde (moins de deux cents personnes) qui gouvernait et administrait le royaume.

IV. — LES COURROIES DE TRANSMISSION

Pour se faire obéir dans les provinces — et n'oublions pas que la haine contre la Cour et Paris fut un moteur puissant de bien des révoltes — pour transmettre les ordres et faire rentrer les impôts, il fallait des courroies de transmission. La tendance constante de la monarchie fut non pas à substituer des institutions nouvelles à celles qui étaient périmées, mais à superposer les unes aux autres. Mais une frontière décisive sépare deux grandes périodes : celle du second quart du XVIIe siècle (40).

Jusqu'alors les hommes du roi dans les provinces avaient été essentiellement des justiciers (officiers de robe courte, c'est-à-dire gentilshommes, ou de robe longue, c'est-à-dire « robins »), secondairement (et plus tard) des officiers de finances ou de grands personnages pourvus d'attributions militaires et politiques (les gouverneurs et lieutenants généraux), épisodiquement des commissaires envoyés en mission extraordinaire. A la base ce fut toujours l'organisation judiciaire qui constituait la toile d'araignée. Au-dessus des prévôts (six cents peut-être au XVIe siècle), les baillis et sénéchaux (quatre-vingt-six pour tout le royaume) puis les Parlements. Prévôts et baillis étaient choisis dans la noblesse, mais ils furent progressivement entourés de lieutenants et de conseillers recrutés dans la robe longue qui créèrent de véritables cellules judiciaires et administratives. En 1552, Henri II institua (pour des raisons financières) un échelon intermédiaire entre baillages et parlements : ce furent les *présidiaux* (une soixantaine). Mais la véritable source des serviteurs du roi se trouvait dans les Parlements. Celui de Paris servit d'exemple et de modèle aux parlements qui furent successivement créés en province pour remplacer d'anciennes cours princières : après Toulouse (1443) et Bordeaux (1463), Grenoble (1457), ce fut le tour de la Bourgogne (1477), de la Provence (1501), de la Bretagne et de la Normandie (1515). Tout au long du XVIe siècle, ces parlementaires furent les auxiliaires les plus précieux de l'action gouvernementale.

Il n'en fut pas de même pour les gouverneurs. A la fin du xve siècle, ils n'étaient encore, sous des titres divers, que des lieutenants du roi chargés d'une mission extra-ordinaire, à la fois administrative et militaire, dans une circonscription menacée. Malgré les ordonnances royales qui limitaient leurs pouvoirs, ces grands personnages réussirent à transformer leurs charges en véritables propriétés héréditaires. Ni François Ier (en 1542) ni Henri II ne purent appliquer les révocations qu'ils édictèrent. A la faveur des troubles de la seconde moitié du xvie siècle, les princes-gouverneurs (Aumale, Mayenne, Nemours) tendirent même à organiser leurs provinces en états autonomes. Sans doute la reprise en mains du royaume par Henri IV mit-elle fin à ces tentatives, mais on verra encore, pendant la Fronde, jouer contre le roi des liens de clientèle tissés par les gouverneurs.

La réorganisation des finances, sous François Ier puis Henri II, aboutit à la création dans les provinces de *généralités*, elles-mêmes subdivisées en *élections*. Trésoriers Généraux et élus étaient ainsi chargés de tout ce qui concernait l'impôt. Jusqu'à Richelieu, ils s'en acquittèrent sans soulever de difficultés.

Enfin les rois du xvie siècle eurent largement recours aux commissions exceptionnelles. Ils confiaient à des officiers des Cours souveraines — présidents ou conseillers du Parlement — et à des maîtres des requêtes de l'Hôtel, des délégations temporaires d'autorité leur permettant de contrôler, d'instruire, de recevoir les plaintes des habitants. On a voulu voir dans les « chevauchées » (missions en province) de ces maîtres des requêtes l'origine de l'institution des intendants. Mais plus qu'une filiation institutionnelle, c'est la révolution accomplie entre 1635 et 1638 qui importe.

Les travaux récents de R. Mousnier (41) ont éclairé cette révolution. On savait, avant eux, que les commissions dans les provinces s'étaient multipliées à partir des années 1580, que ces commissaires auraient pris entre 1621 et 1628 le titre d'« intendants de justice, police et finances », qu'entre 1635 et 1648 ils se seraient généralisés dans tout le royaume avec mission permanente de surveillance et de contrôle. R. Mousnier a démontré que, si la période 1635-1638 a été en effet décisive (en raison de la guerre et des impôts nouveaux), il y eut, en réalité, sous le même nom d'« intendants » création d'une institution nouvelle : l'intendant, « d'ins-

pecteur réformateur » devient « administrateur »; il ne
se contente plus de surveiller les officiers de finances
(Trésoriers et élus), il les remplace dans leurs fonctions
essentielles. Le mécontentement de ces officiers dépos-
sédés s'exprima pendant la Fronde (42), qui obtint
la suppression du corps des intendants. Rétablis dès
1652, les intendants durent aux guerres de Louis XIV
(surtout après 1670) un développement considérable
de leurs moyens d'action : toute une bureaucratie régulière et permanente se constitua dans leurs généralités.

• Les intendants du XVIIIe siècle restèrent-ils fidèles
à leur vocation originelle ? On a été parfois tenté de leur
attribuer une autorité sans nuances (cf. Tocqueville :
« L'intendant agissait non seulement sans contrôle
mais aussi sans conseil ») ou, à l'inverse, de souligner
qu'un long séjour dans les mêmes généralités transfor-
mait ces hommes du roi en hommes des provinces.
Les études récentes (43) ne confirment pas ces jugements.
Limités par de nombreux organismes (gouverneurs,
commandants en chef, Parlements), soumis de plus en
plus étroitement aux instructions du pouvoir central,
les intendants de Louis XV furent plus bridés dans
leurs tâches qu'enclins à jouer les despotes. Et — on le
vit bien sous Calonne — ils demeurèrent dans leur
ensemble de farouches défenseurs d'une monarchie
administrative menacée par le libéralisme.

*
* *

Hommes du roi, hommes de gouvernement et d'administration, ces officiers et ces commissaires assurèrent
pendant trois siècles la continuité et l'efficacité de l'État.
Mais ils n'avaient pas affaire à un « vide ». A côté d'eux,
en face d'eux, souvent mêlés à eux, des notables étaient
appelés à intervenir. Entre les gouvernants et les gouvernés s'interposaient ceux qui participaient.

3

CEUX QUI PARTICIPAIENT

La France, on l'a vu, était constituée par un réseau de corps et de communautés pourvus de privilèges : c'est cc qu'Olivier Martin appelait « l'organisation corporative de la France d'Ancien Régime ». Sous quelle forme, dans quelle mesure et jusqu'à quelle date ces corps participèrent-ils à l'exercice de la puissance publique ? A ces questions, R. Mousnier a tenté de répondre dans une étude intitulée « La participation des gouvernés à l'activité des gouvernants » (44). On tentera ici de reprendre le problème dans une optique différente. Plaçons-nous d'abord vers 1630 : quels corps étaient représentés, à quels niveaux se situait leur participation, quel mode de rcprésentation existait à l'intérieur de chaque corps ? On esquissera ensuite les grandes lignes de l'évolution au cours du XVIIe siècle.

I. — LA REPRÉSENTATION DES CORPS

Rappelons d'abord, avec R. Mousnier, qu'il existait cinq catégories de corps représentés soit d'une façon permanente soit à titre temporaire.

1) *Les corps représentant l'ensemble du royaume.*

La consultation du « royaume » (en fait : des notables) pouvait emprunter deux voies : la réunion d'États Généraux et la convocation d'Assemblées de notables.
• Il serait hors de notre propos de retracer l'histoire

des *États Généraux*. Rappelons que ceux-ci se réunirent en 1484 (Tours), 1560 (Orléans), 1576 et 1588 (Blois) et Paris (1614-1615). Les États de Pontoise (1561) ne furent pas à proprement parler des États Généraux, dans la mesure où ils ne réunirent qu'un nombre limité de délégués (un par cadre, trois par gouvernement). Quant aux États réunis à Paris par la Ligue en 1593, ils ne représentaient qu'un parti, qu'un secteur de l'opinion. Rappelons également que la composition des États, si elle a varié selon les dates (45), a toujours obéi au principe de la représentation des trois ordres du royaume (clergé, noblesse et tiers état).

• La convocation d'*Assemblées de notables* permettait aux rois d'obtenir un certain *consensus*, notamment lorsqu'un choix fondamental s'imposait, sans déclencher le mécanisme électoral lourd et complexe exigé pour la réunion des États Généraux. Ainsi en usa Louis XII en 1506 pour faire approuver la rupture des fiançailles de sa fille avec le futur Charles-Quint. Quand, en 1527, François Ier décida de ne pas appliquer les engagements qu'il avait contractés au traité de Madrid, il convoqua les notables. En 1560 (Fontainebleau), pour examiner le statut des protestants, en 1596 (Rouen), en 1617-1618 (Rouen), en 1627-1628 (Paris), d'autres assemblées furent encore réunies. La différence entre de telles réunions et les États Généraux était moins considérable aux yeux des contemporains qu'aux nôtres : si le mode de désignation n'était pas le même (nomination au lieu d'élection), les trois ordres étaient également représentés.

2) *Les corps représentant un ordre.*

Seul des trois ordres du royaume, le clergé avait obtenu depuis 1560, à la faveur des sacrifices financiers qu'exigeaient de lui la monarchie et l'opinion, d'être représenté, de façon à la fois permanente et périodique, auprès du roi. Tous les dix ans (les « grandes assemblées »), les délégués du clergé renouvelaient le contrat fiscal qui les liait à l'état (consentement des « décimes », puis du « don gratuit »). Dans l'intervalle, tous les cinq ans, de « petites assemblées » dressaient les comptes. D'une façon permanente, des « bureaux du clergé » intervenaient constamment auprès des Conseils pour toutes les matières concernant l'Église.

3) *Les corps représentant un territoire.*

Certaines provinces, toutes les villes et les cellules rurales connaissaient un système représentatif : mais il faut bien se garder de mettre sur le même plan ces institutions.

• Un certain nombre de provinces, celles qui avaient été tardivement rattachées au domaine des Capétiens et qui étaient souvent situées à la périphérie du royaume, avaient conservé des *États Provinciaux :* au début du XVIIᵉ siècle, ces états existaient en Normandie, en Languedoc, en Dauphiné, en Provence, en Bretagne, en Bourgogne, en Guyenne, en Béarn et dans le Comté de Foix. En marge de ces États Provinciaux existaient çà et là des *États particuliers* concernant des unités territoriales plus restreintes. Des différences considérables séparaient ces divers États, dans leur fonctionnement comme dans leur composition. Mais les trois ordres y étaient toujours représentés, et ils étaient pourvus d'attributions administratives et financières (vote et levée de l'impôt).

• Les villes du royaume constituaient juridiquement des communautés. Leurs institutions variaient à l'infini d'une ville à l'autre, mais obéissaient à certains traits communs. Seul un corps restreint, les « bourgeois », étaient appelés à contrôler l'administration urbaine. En général cette administration s'exerçait à trois échelons : les assemblées générales de bourgeois, consultées pour les matières importantes, chargées d'élire périodiquement leurs représentants, des conseils de ville plus restreints (à Paris vingt-quatre conseillers) enfin le petit noyau exécutif (échevinage). Les plus grandes villes du royaume se faisaient représenter auprès du Conseil du Roi par un procureur ou solliciteur.

• Dans les campagnes, vie religieuse et vie matérielle avaient spontanément donné naissance à des communautés d'habitants qu'on appelait souvent paroisses. Ces communautés étaient gérées par des assemblées d'« habitants », c'est-à-dire le plus souvent des chefs des familles les plus aisées. La monarchie les avait longtemps ignorées, mais s'en servit de plus en plus comme instruments de sa politique fiscale : elles se chargeaient, sous le contrôle des agents de l'intendant, de la levée et de la répartition de l'impôt (46).

4) Les corps représentant des groupes professionnels.

Plusieurs groupements professionnels étaient organisés en corps. D'abord les officiers de judicature et de finances, qui surveillaient jalousement leurs privilèges, exprimaient par écrit leurs doléances. Ensuite les communautés de métier, ou « jurandes », qui n'existaient que là où le métier n'était pas « libre » (c'est-à-dire dépendant de la seule municipalité). Les jurés, élus par les maîtres des métiers, surveillaient l'exercice de leur profession et pouvaient intervenir auprès des pouvoirs publics.

5) Les corps exorbitant au droit commun.

L'extension au XVIe siècle de la Réforme protestante avait très tôt posé le problème d'un statut particulier pour les huguenots. Les édits de pacification, notamment ceux de Beaulieu (1576) et de Nantes (1598), firent des protestants un corps privilégié, doté d'une organisation judiciaire (les chambres de l'édit), politique (des assemblées périodiques et un représentant permanent auprès du roi) et militaire.

Ce cadre institutionnel brièvement tracé, abordons maintenant les vrais problèmes.

II. — MYTHE ET RÉALITÉ DE LA PARTICIPATION

Et d'abord, celui-ci : à quels niveaux se situait la participation ? Si ce mot a un sens, il implique un certain degré de responsabilité et de partage des pouvoirs de décision. Or il suffit d'observer le cadre que nous avons emprunté à R. Mousnier pour saisir les différences essentielles qui séparaient entre elles ces institutions. On doit, me semble-t-il, distinguer trois niveaux : celui de la « police » quotidienne, celui de la haute administration, celui des choix politiques.

— Jusqu'au deuxième tiers du XVIIe siècle, les corps s'administraient eux-mêmes avec une très grande liberté. Qu'il s'agisse de la réglementation de la vie quotidienne, de l'exercice des professions, de l'hygiène ou des contributions financières, ces groupements territoriaux ou professionnels géraient dans une large mesure leurs propres affaires. Mais trois réserves s'imposent.

La situation n'était pas du tout identique pour les villes et pour les communautés rurales. A celles-ci on demandait essentiellement de payer, de se charger elles-mêmes de la désagréable mission de répartir les contributions. Quels droits leur consentait-on ? Celui, très épisodique, d'exprimer leurs doléances et d'élire — à travers un système à plusieurs degrés — des représentants lors de la réunion d'États Généraux. Les villes, au contraire, avec leurs oligarchies municipales, leur milice, leur abonnement fiscal (beaucoup d'entre elles avaient été soit exemptées de la taille, soit autorisées à la remplacer par un versement annuel), leurs règlements multiples, jouissaient d'un statut très supérieur. Encore faut-il préciser — et c'est ma deuxième réserve — que les grandes villes — notamment Paris — étaient contrôlées de très près par le pouvoir royal. Sous Henri IV comme sous Henri II, la désignation du prévôt des Marchands de Paris ne se faisait pas, malgré la procédure électorale, sans l'intervention directe du souverain. Enfin s'agit-il là d'une véritable participation ? C'était en réalité, une nécessité : les agents d'exécution du roi — dont a vu le petit nombre — devaient bien laisser aux corps et communautés une certaine liberté de manœuvre, ils ne leur consentirent jamais un partage d'autorité.

— Au plan de la haute administration — disons de la réglementation général de la vie publique — la participation fut réelle, mais limitée et indirecte. Limitée : on tentera de montrer, plus loin, quels en furent les bénéficiaires et les exclus. Indirecte : ce fut surtout sous la forme de *groupes de pression*, de l'utilisation de marchandages et de réseaux d'influence, qu'elle s'exerçait. J. Coudy (47) a fort bien montré de quels moyens d'action usait l'ordre du clergé auprès du conseil du roi. Il en était de même pour les États Provinciaux : des négociations officieuses concernant la somme globale que la province devait verser au roi précédaient le « libre » vote de ces impositions. En dehors même des moyens institutionnels (requêtes, remontrances, placet), le recours, par lettres ou envoi d'émissaires, aux personnages influents de l'entourage du Roi était la méthode normale utilisée par ces notables pour infléchir les décisions royales.

— En ce qui concerne les grandes décisions gouvernementales — et plus encore le choix et le contrôle des gouvernants — les rois n'ont jamais admis le moindre partage de leur autorité. De ce refus catégorique, on a parfois abusivement déduit que les États Généraux n'auraient jamais songé à exprimer des revendications de pouvoir, que leur fonction était seulement de conseiller le roi, ce qui impliquait plus de devoirs que de droits. En fait, pourtant, les États Généraux exprimèrent très fortement la volonté d'un certain contrôle. En 1560 comme en 1484, ils demandèrent le choix des conseillers directs du roi. En 1614 comme en 1560, le Tiers État réclama la périodicité des États (tous les cinq ans ou dix ans) et l'interdiction de les dissoudre tant qu'il n'aurait pas été satisfait à leurs doléances. Incontestablement, il y avait volonté de participer réellement au pouvoir. Mais cette volonté se heurta au développement des pratiques absolutistes.

Telles sont les limites étroites de la participation. Définissons là comme la possibilité, pour certains groupes de la société, d'exercer une influence indirecte sur les décisions royales. Mais quels groupes ? Ici se pose un second problème.

III. — Les Élites

La participation n'était pas seulement limitée par les cadres du système institutionnel ; elle l'était, plus encore, par le mode de représentation qui s'imposait dans chaque ordre et communauté. Mais, en ce domaine également, un principe en apparence unique aboutissait à des réalités profondément diverses. Ces réalités sont à dépister moins dans les « ordres » traditionnels que dans les élites, à la fois unies et divisées.

— Le principe qui justifiait la représentativité, à l'intérieur des élections corporatives comme pour le choix des députés aux États Généraux, était celui de la *sanior pars* : la partie la plus saine de la société, c'est-à-dire ceux que la naissance, la fonction, la richesse et la culture distinguaient en tant que *notables* de la masse des classes inférieures. Principe peu contesté il est vrai, sauf dans les périodes de défoulement collectif qui favorisaient l'*inversion* temporaire des valeurs fondamentales de la société (48) et dont la phase aiguë (1793-1794) de la Révolution française offre un excellent exemple (49). Même lorsque les humbles se révoltaient (50), ils cherchaient tout naturellement la direction et la protection de notables. Mais, que l'on examine la composition des députations aux États Généraux (51), ou qu'on étende cette observation à l'ensemble des corps (52), on est amené à souligner la non-concordance de ce principe avec les réalités sociales.

Quantativement un fossé séparait, aux États Généraux, la représentativité des élus du Tiers État de celle des deux premiers ordres. Le principe de la « sanior pars » joua peu chez les gentilshommes : la petite noblesse fut massivement représentée dans toutes les consultations électorales. Il subit, pour le clergé les vicissitudes de la conjoncture : la représentation du Haut Clergé (évêques et abbés) déclina pendant les guerres de religion, mais dépassa en 1614 son niveau de 1484. Au Tiers, par contre, ce principe imposa de façon permanente une sélection rigoureuse qui excluait les 9/10e des représentés de leur propre représentation. En 1614, plus des trois quarts des représentants du Tiers État étaient des officiers, juridiquement nobles, ou en passe de le devenir.

Qu'est-ce à dire, sinon que la notion d'« ordres », héritée des théoriciens du XVIIe siècle (dont les tendances archaïsantes reflètent plus une image idéale qu'une réalité) par certains historiens d'aujourd'hui, occulte les hiérarchies réelles. Un seul ordre : le clergé. Mais en son sein que de hiérarchies ! La noblesse ne réussit jamais, malgré ses tentatives lors de la Fronde, à s'organiser comme le clergé. J'ai tenté d'expliquer les raisons de cet échec : la communauté nobiliaire, le sentiment assez égalitaire (en dépit des conflits de préséances) fondé sur la barrière du sang, la large représentativité de ses députés, tout rendait inutile et presque sacrilège la création d'une institution représentative distincte. Quant au Tiers État — et ces termes mêmes sont éclairants — ce fut, comme je l'ai écrit, un ordre *négatif*, qui ne se définissait que par ce dont il était exclu : le service de Dieu et le sang « bleu ». En son sein se situait la véritable *frontière*, celle qui séparait le monde des participants et celui des exclus, le monde des notables et celui des anonymes, l'élite et les masses.

— Cette élite, on pourrait être tenté d'en chercher les secrets à travers la grille marxienne élaborée au XIXe siècle : la division des classes fondée sur la place dans les rapports de production et d'échange. Le débat « Ordres et classes », qui a récemment fait couler beaucoup

d'encre (53), relève, selon moi, des faux problèmes
introduits, de part et d'autre, par l'idéologie dans la
recherche historique. Les marxistes eux-mêmes, du
moins lorsqu'ils prennent le marxisme avec sérieux et
intelligence, sont amenés à ruser avec leurs catégories
pour les faire coïncider avec ce qu'ils observent dans
l'Ancienne France : moins le profit « capitaliste » que
la rente foncière et l'insertion dans l'État (« féodal »),
moins les conflits de classes qu'un complexe de contradictions secondaires et de revendications culturelles
très proches (54). Finalement c'est la problématique de
Boris Porchnev (55), si on en décante le vocabulaire et le
placage idéologique superficiel (56), qui semble la plus
compréhensive, et qui rejoint celle de Goubert et la
mienne. L'existence d'un monde dominant, vivant directement (par les revenus seigneuriaux ou surtout le produit des baux) ou indirectement (par la redistribution
des recettes de l'État) du *revenu paysan* transcende les
barrières des ordres sans constituer pour autant la base
d'une classe. « *Notables* » ou « *élite* » : peu importe le nom
de baptême. L'unité de ce petit monde n'est pas seulement d'ordre économique. La frontière de l'alphabétisation et de la culture (57) — et vers 1630, d'une culture
exprimée fréquemment en latin — le distingue de la
masse. De cette frontière, j'ai tenté ailleurs de montrer
la claire conscience qu'avaient les élites, la solidarité
fondamentale qu'elle favorisait parmi elles.

— Cette appartenance commune non seulement
n'excluait pas, mais postulait leurs divisions. Le grand
fait du premier xviie siècle, c'est l'*atomisation de leurs
conflits*, à la fois cause et condition indispensable du
triomphe de l'absolutisme. Non *un* conflit d'« ordres »
ni *un* conflit de « classes », mais de multiples conflits
où interféraient aussi bien des intérêts matériels que
des valeurs idéologiques, autant des données conjoncturelles (modifications respectives dans la bureaucratie)
que des crispations corporatives. Les conflits entre
noblesse d'épée et robins s'exprimèrent publiquement
aux États de 1614. Mais entre robins que de conflits
secondaires ! Un historien italien, Mastellone (58), a pu
ainsi déceler le clivage qui existait, pendant la régence
de Marie de Médicis, entre le corps des Parlementaires
et les autres officiers. Conflits entre officiers et com-
missaires-intendants : on l'a déjà évoqué. Divergence
d'attitudes, pendant la Fronde, entre cours souve-

raines — souvent frondeuses — et oligarchies municipales liées aux milieux marchands : c'est la thèse qu'a
soutenue Kossmann (59). Cette atomisation des élites,
jouée par elle, fut un tremplin efficace pour les efforts
centralisateurs de la monarchie. Mais, par un choc
en retour, ces efforts allaient susciter une double pola-
risation qui en annulait, à long terme, les résultats.

IV. — LA PEAU DE CHAGRIN

On connaît le roman de Balzac dont le héros se fait
remettre, en échange de la certitude de voir exaucer
ses demandes, une « peau de chagrin » qui est le symbole
de sa survie : plus elle diminue, moins il lui reste de
jours à vivre. Le comportement de la monarchie vis-à-
vis des élites, de Richelieu à Louis XV, ressembla à celui
du personnage balzacien. Elle paya doublement son
indépendance accrue : en traumatisant durablement
ceux qu'elle excluait de toute participation, en aiguisant
les appétits de ceux qu'elle admettait à sa table.

— Que la participation ait reculé, sous Richelieu,
puis sous Louis XIV, un coup d'œil rapide sur les institutions permet déjà de s'en convaincre. Les Protestants ? Depuis 1629 (paix de grâce d'Alès), ils perdirent
leurs privilèges politiques et militaires; la révocation
de l'Édit de Nantes (1685) leur ôta jusqu'à leur statut
religieux et civil distinct. Les Parlements ? On a vu comment à deux reprises, on tenta de limiter leurs remontrances. De nombreux États Provinciaux furent sup-
primés, ou l'on cessa de les convoquer. Ceux de Provence furent remplacés en 1639 par une « Assemblée
de Communautés ». Ceux de Dauphiné et de Normandie
(1655), de Basse-Auvergne, de Quercy et de Rouergue
(1672-1673), ceux d'Alsace (1683) et de Franche-Comté
(1704) disparurent. Quant aux États Généraux, ils ne
furent plus réunis après 1614, et la dernière Assemblée
des notables date de 1627. La monarchie y gagnait des
coudées plus franches, mais son assiette dans la société
comme dans l'opinion se rétrécissait.

— D'autant plus — et ceci me semble fondamental —
que tous ne furent pas également atteints par ces ampu-
tations. Trois groupes, au moins, maintinrent ou accrurent
leur influence au-delà des péripéties conjoncturelles.
Les Grands seigneurs d'abord, sans doute « domesti-

qués » à la cour de Versailles et dans leur hôtels parisiens, mais appelés, même à la fin du règne de Louis XIV, et sans parler de la Régence, à exercer une influence croissante. A cet égard, il faut se défier du schéma classique, emprunté particulièrement aux gémissements de Saint-Simon, qui décrit un gouvernement envahi par la roture et interdit à la vieille noblesse. Le rôle d'un Beauvilliers, d'un Chevreuse, fut loin d'être négligeable (60). L'envers de la domestication fut la création de liens de plus en plus étroits entre la haute noblesse et le centre de l'État. La Haute robe — et singulièrement le Parlement de Paris — ne perdit que temporairement certaines de ses prérogatives. Dans leurs salons parisiens comme dans les académies qu'ils allaient fréquenter, ces grands robins ouverts aux influences auliques n'étaient pas condamnés au silence. Un troisième groupe enfin émergea à la faveur des difficultés économiques et financières de la fin du grand règne : celui des fermiers généraux, des financiers, des négociants. La monarchie, qui ôtait à d'autres leurs traditionnelles possibilités d'expression, leur donna la parole : la création, en 1700, d'un Conseil général du commerce, permit aux principaux négociants du royaume d'exposer leurs programmes (61). Ainsi se constituait, à l'un des pôles du monde de la notabilité, un cercle de bénéficiaires. On verra (62) comment ce fut dans ce cercle que naquit la contestation la plus radicale du système.

Les mécontentements s'accumulaient à un autre pôle. La noblesse de province, durement frappée sous Richelieu (destruction de châteaux), exclue de la cour, privée des États Généraux et parfois des États Provinciaux, conserva toujours la nostalgie des temps anciens. Ces mécontentements comptèrent beaucoup dans la crise du XVIIIᵉ siècle. A l'extrême fin du siècle, lorsque Loménie de Brienne généralisa les Assemblées Provinciales, toute une littérature nobiliaire exprima cette conscience rétrospective d'une coupure décisive datant de Richelieu (63). La Révolution naîtra, en partie, de la convergence entre les mécontentements de ceux-là et les exigences nouvelles des nantis du système. La monarchie prépara ces convergences.

***

Participants et gouvernants ne constituèrent jamais qu'une minorité. Périodiquement, certains individus issus de cette minorité épousèrent ou exprimèrent les frustrations accumulées chez les exclus du système. Ce sont eux que nous allons suivre en étudiant les contestations.

4

CEUX QUI CONTESTAIENT

Le développement du système, dans sa modernité même, provoqua divers types de contestations. On réservera à plus tard — c'est la matière du troisième livre de ce fascicule — les tentatives de remise en cause théorique, c'est-à-dire d'élaboration d'un *anti-système*. Restons sur le terrain des luttes réelles, des champs de bataille qui s'ouvraient, de façon périodique ou permanente, à la monarchie, à ses agents d'exécution, au monde des notables qui pouvait refuser tel aspect de sa politique sans perdre de vue leur communauté profonde. On distinguera trois niveaux de prises de conscience, trois paliers de leur expression militante, qui correspondent, sans doute, à des motivations inégales des diverses strates de la société.

Au palier supérieur : les grandes crises, celles des « Guerres de Religion » et de la Fronde, les plus anciennement mais non les mieux étudiées. L'étage intermédiaire : les séditions anti-fiscales du XVIIe siècle qui ont mobilisé, depuis quinze ans, de nombreux historiens. Au ras du sol : ce que j'appellerai le grand refus des humbles, les formes diverses par lesquelles la masse des exclus a traduit son désarroi et sa colère devant la chape qui s'abattait inexorablement sur elle. Un champ d'études qui s'ouvre à peine...

I. — Les crises :
De la révolte protestante a l'anarchie de la Fronde

La trame chronologique des « temps faibles » de la monarchie ayant été déjà élaborée (64), il faut analyser les faiblesses ainsi révélées : les formes et les degrés de la contestation, les groupes contestataires. Trois traits doivent être fortement accentués : *confusion, atomisation*, et *bipolarisation ethnico-géographique* des mouvements. Tout se passe comme si, à la faveur de circonstances propices (schisme religieux, minorité du roi, accroissement de la ponction fiscale), se réveillaient de multiples forces centrifuges : non un front unique séparant deux camps, mais de nombreux combats distincts transcendant les fronts. Tout se passe également comme si les crises révélaient le clivage entre deux Frances : une France du Nord et de l'Est (Paris excepté) ouverte aux progrès et en bénéficiant, suivant superficiellement des princes en révolte mais soumise dans ses profondeurs à l'ordre étatique et culturel, une France du Sud — surtout du Sud-Ouest — et de l'Ouest qui protestait plus aisément contre l'extirpation de ses vieux équilibres. Décalage culturel, anthropologique, économique qui dépasse — et de loin — nos frontières chronologiques.

A) *La Révolte protestante du XVIe siècle.*

Avant même le déclenchement des guerres civiles (massacre de Vassy, 1562), le développement de l'« évangélisme », puis des divers courants de la Réforme, créait un climat propice à l'affleurement de certains mécontentements. Non qu'on puisse aujourd'hui adhérer aux thèses d'un sociologisme simpliste qui faisait naguère du protestantisme l'expression idéologique du capitalisme naissant (65) ou le masque des besoins des « petites gens » (66). Non qu'on puisse nier la fidélité absolue au Roi des martyrs de la persécution, des cadres des églises réformées et des pasteurs. Mais incontestablement, la diffusion de la Réforme favorisa, surtout dans le Sud-Ouest, une *révolte paysanne contre la dîme* (c'est-à-dire contre la part de la récolte que l'État obligeait à verser au clergé) et, à certains moments, contre les droits à verser aux seigneurs. Les mémoires de Blaise de Monluc nous éclairent sur ces jacqueries des années 1558-1561. Elles ne se dressaient pas contre le roi, mais contre deux assises de la société établie : le prélèvement ecclésiastique et le prélèvement seigneurial. Même condamnée par Calvin et les pasteurs, parfois antérieure du reste à l'expansion de la Bible en français, la grève des décimables fut un des grands faits du XVIe siècle.

La prise en main de la cause réformée par une partie de la noblesse — entre 1555 et 1560 — allait transformer en luttes armées et en querelles pour le contrôle du pouvoir ce séparatisme jusqu'alors religieux. Mais, malgré les prudences de ses dirigeants, le peuple réformé entendait s'affirmer par la violence : bris des statues d'église, massacres et contre-massacres, ces scènes se multiplièrent jusqu'à ce que la *Saint-Barthélemy* (massacre des protestants par les catholiques, à Paris, le 24 Août 1572) provoquât une cassure. Tandis qu'une partie des réformés commence à refluer vers la vieille Église, qu'une minorité d'entre eux se réfugie à l'étranger, la résistance s'organise sous la forme d'un véritable *État huguenot*, fédéraliste et cantonaliste, dont les bases s'implante dans le Midi surtout, dans l'Ouest secondairement. Parallèlement, les théoriciens du parti échafaudaient une timide critique de l'absolutisme. Il faudra la mort du duc d'Anjou (1584), qui fit du protestant Henri de Navarre l'héritier du trône de France, pour que la communauté protestante se rallie, non sans souci jaloux de ses droits, au loyalisme le plus intégral.

Il est difficile, dans l'état actuel des recherches (67), d'apprécier les données sociologiques de cette révolte protestante. Issue au départ des milieux cléricaux (il était naturel que les clercs fussent les premiers à s'émouvoir d'un courant de réforme religieuse), répandue ensuite dans les milieux marchands et artisans des villes, enracinée solidement dans certaines régions rurales (les Cévennes), la Réforme devint, pendant les troubles, de plus en plus nobiliaire et conservatrice. Elle n'en permit pas moins, par son existence même, comme par les forces qu'elle réveilla et façonna, les manifestations d'une triple résistance : résistance des communautés urbaines du Sud et du Sud-Ouest, attachées à un vieux fonds démocratique, résistance paysanne contre le prélèvement clérical, résistance — à un plan plus profond — de la France des provinces sacrifiées par le progrès.

B) *Les hardiesses de la Ligue.*

Né du grand refus des populations catholiques à l'égard de l'« infection » de l'hérésie, le courant, qui se canalisa dans la Ligue et rompit ses digues de 1588 à 1594, battit en brèche de façon autrement périlleuse les remparts de l'État et de la Société établie. A des théories bien plus radicales correspondit une conduite infiniment plus audacieuse.

Au départ, du reste, une différence essentielle apparaît, qu'on n'a pas assez soulignée. La Réforme était ambivalente : déculturante et acculturante, destructrice d'un vieux fonds traditionnel de pratiques plus que de croyances (culte des saints, pèlerinages, fêtes, jeux) mais porteuse d'un progrès, oppressif certes comme tout progrès, mais qui aboutit à l'alphabétisation, à la civilisation écrite, au triomphe d'une éthique inspirée par une fraction éclairée du monde des notables. Vingt ou trente ans plus tard, l'église catholique, celle de la Contre-Réforme, suivra par d'autres biais (en absorbant les signes de la culture ancestrale) ce même tracé essentiel. Dans l'immédiat, la réaction de la majorité devant cet assaut contre leur écologie culturelle fut nettement agressive : lutter par la violence, par une violence souvent sauvage (le massacre parisien de la Saint-Barthélemy ne fut qu'un épisode parmi beaucoup d'autres) contre les porteurs de « nouveautés » destructrices. La prise en charge de cette violence par les Guises — leaders du clan nobiliaire ultra-catholique — l'isolement progressif (à partir de 1576) du gouvernement d'Henri III entre cette Ligue et l'État protestant favorisèrent le réveil de tous les mécontentements.

Dès 1585 (formation de la « Seconde Ligue »), un double mouvement se dessina contre Henri III. Les princes ligueurs, appuyés par l'Espagne, mobilisent dans leurs provinces les frustrations accumulées : noblesse désœuvrée, bas-clergé fanatiquement attaché à la cause de l'Église, « bourgeoisie seconde » des oligarchies marchandes et municipales exclues des grands offices. A Paris se constitue une « machine à insurrection », couvrant les seize quartiers de la capitale d'un réseau secret, encouragée publiquement par les prédicateurs qui, de leur chaire, insultent le souverain. Chassé de Paris par les barricades (12 mai 1588), Henri III fait mine de se réconcilier avec Guise, avant de le faire exécuter à Blois (23 décembre). Dès lors c'est la révolte ouverte, ou plutôt une multitude de révoltes.

En apparence, deux camps. Le camp royaliste, avec Henri III d'abord, puis, après son assassinat par le jacobin Jacques Clément (août 1589), avec Henri IV. En face, la Sainte-Ligue dont le duc de Mayenne (frère de Guise) prit la direction nominale. En fait chaque camp, groupé autour de son drapeau (défense de la monarchie légitime, attachement prioritaire au catholicisme), était divisé. Ce furent les divisions de la Ligue qui comptèrent le plus, dans la mesure où elles révélèrent les forces de dissociation de l'État. Distinguons les provinces et la capitale. En province — surtout dans le Sud et les provinces les moins anciennement réunies à la couronne (Bretagne, Provence, Bourgogne) — une réaction autonomiste, soigneusement entretenue par les princes désireux de se tailler des micro-états indépendants, inspire les rangs secondaires de la bourgeoisie des villes : municipalités, petits robins, marchands de seconde zone. Il ne semble pas qu'un mouvement véritablement populaire ait soutenu activement ce mouvement : l'emprise des communes et des confréries était suffisante pour maintenir l'encadrement des masses, non pour les galvaniser. Dans les campagnes, les exactions d'une noblesse armée politiquement et militairement divisée provoquèrent, on le verra (68), des mouvements paysans à la fois anti-fiscaux, anti-seigneuriaux et pacifiques.

A Paris, les clivages furent plus accentués. Comme ailleurs, le monde de la haute robe (officiers des cours souveraines) fut, dans l'ensemble, et après de prudentes hésitations, fidèle aux souverains : ce fut d'ailleurs contre eux que se mobilisèrent les passions de l'extrémisme ligueur. Le grand commerce se cantonna dans un neutralisme attentiste. Quand se constitua, en décembre 1588, un gouvernement révolutionnaire — improprement appelé par ses adversaires « *les Seize* » — il groupait des procureurs, des avocats, des huissiers, des sergents, des curés et des moines, certains notables du commerce et de la robe. Assez rapidement, et avec le soutien actif de Mayenne, les éléments modérés l'emportèrent dans les centres de décision. Mais la poussée terroriste du courant extrémiste se fit sentir à plusieurs reprises avec la dénonciation permanente des « tièdes » (surtout parlementaires) du haut des chaires, l'épuration du

Parlement, l'exécution d'un de ses présidents pourtant ligueur, Barnabé Brisson. Ce courant fut surveillé, puis réprimé par Mayenne.

Il n'en reste pas moins important pour mesurer l'ampleur et les limites de la contestation. Les idéologies du XIXe siècle ont tiré dans les sens les plus opposés le courant extrémiste ligueur : passéiste et réactionnaire pour Michelet et Jaurès, anticipateur de 1793 et de 1871 pour d'autres. Abandonnons ces cadres artificiels, dans lesquels on s'efforcerait vainement d'introduire notre dichotomie contemporaine droite-gauche pour un monde profondément diversifié. Trois traits doivent être soulignés : le radicalisme des méthodes, le caractère utopique des programmes, la base sociologique limitée des cadres et des militants. Radicalisme des méthodes ? On a vu les manifestations de la poussée terroriste (délation publique et secrète, tribunaux d'exception improvisés, justifications, au nom d'une certaine forme de salut public, de l'assassinat du roi). Caractère utopique des programmes ? On le saisit dans les discours des prédicateurs et dans les pamphlets, le plus éclairant de ceux-ci étant l'anonyme « *Dialogue du Maheustre et du Manant* » publié à Paris en 1594. Refusant une noblesse fondée sur l'hérédité, et non la vertu, une robe alliée à la tyrannie et enrichie par elle, un patriotisme qui l'emporterait sur l'appartenance religieuse (« Nous n'affectons point la nation, mais la religion »), les ligueurs parisiens allaient à contre-courant des tendances irréversibles du siècle. Leur composition sociale explique ces passions sans débouchés. Les petits officiers (sergents, huissiers, commissaires, notaires) et le clergé des couvents et des paroisses, les élèves et professeurs de l'université constituèrent les cadres et les militants du mouvement. Le « peuple », comme le reconnaît l'auteur du « Dialogue », n'a suivi qu'épisodiquement la Ligue : il s'en détacha très vite. La communauté que connaissaient les ligueurs était celle du couvent et de la basoche; celle dont ils aspiraient à cueillir les fruits aurait dû être celle de la commune urbaine; celle dont ils rêvaient était la chrétienté.

C) *Une maladie infantile : la Fronde.*

De la Ligue à la Fronde : les cinquante années qui les séparent ont été grosses de transformations qui expliquent les différences essentielles entre les deux mouvements. Comme la Ligue, la Fronde a été interprétée, selon les moments de l'historiographie et les passions des historiens, comme une anticipation de 1789 (Sainte-Aulaire, sous la Restauration) ou une réaction rétrograde contre l'œuvre progressiste de la monarchie absolue. Laissons là ces faux problèmes. La Fronde fut avant tout la maladie infantile de l'absolutisme. Par rapport à la Ligue, combat désordonné mais viril, confus dans ses visées mais audacieux dans ses attaques, la Fronde apparaît comme une pâle caricature. Mot d'ordre mobilisateur ? « Point de Mazarin ». C'était redescendre d'un cran lorsqu'on songe que les ligueurs défendaient avec leur religion tout un système de valeurs et de pratiques. Lutte contre les intendants qui dépossédaient les officiers de finances ? C'était l'émergence d'intérêts étroitement corporatifs. Suppression des « partisans » et allègement des impôts ? C'était, ç'aurait pu être le véritable enjeu, provoqué par le brutal tour de vis fiscal de Richelieu, préparé par les innombrables séditions anti-fiscales dont nous reparlerons. Mais, de 1648 à 1653, cette grève des imposables ouvrit une crise où l'on vit se répéter, à un niveau bien plus bas, les phénomènes de confusion, d'atomisation, et d'anarchie.

Sans revenir sur son déroulement chronologique (69), rappelons-en les données essentielles. A la faveur d'une minorité qui accroissait tout naturellement le rôle des forces centrifuges, dans une conjoncture économique très défavorable (à la suite de deux mauvaises récoltes, le prix du pain doubla entre les premiers mois de 1646 et ceux de 1648), au milieu d'une cascade de révoltes et de révolutions en Europe (la guerre civile anglaise a commencé depuis 1642, et le roi Charles Ier était prisonnier du Parlement depuis 1647), la politique fiscale de Mazarin poussa les officiers des cours souveraines à se réunir, à Paris, le 13 mai 1648, et à élaborer dans les deux mois qui suivent, un programme connu sous le nom de « *Propositions de la Chambre de Saint-Louis* ». Partiellement acceptées par le gouvernement, ces revendications inquiétèrent Mazarin quand elles s'attaquèrent à trois financiers dont l'État avait besoin. Après l'échec d'un coup de force contre les meneurs de l'opposition parlementaire, Paris se couvre de barricades (26-28 août). Cette fois, c'est l'intervention au secours du Parlement, de la petite bourgeoisie parisienne, tandis que la bourgeoisie marchande a surtout peur du pillage, et que les intriguants de la noblesse soutiennent le Parlement. Le 5 janvier 1649, la cour s'enfuit à St-Germain-en-Laye. Le but de Mazarin est de faire le blocus économique de Paris, d'y provoquer un mécontentement populaire contre le Parlement. Ce fut l'inverse qui se produisit. Tandis que la petite bourgeoisie parisienne pousse à l'action, le Parlement prend peur et accepte de signer avec Mazarin la paix de Rueil (11 mars 1649). Mais la rivalité croissante du Cardinal et du Prince de Condé conduisit le premier à faire arrêter le second en janvier 1650. Cette mesure provoqua la révolte des provinces dont Condé et ses parents étaient gouverneurs : Normandie, Provence, Poitou et Guyenne. Révolte superficielle, qu'un voyage du jeune Louis XIV suffit à calmer. Mais quand la cour revint à Paris, à la fin de 1650, la situation s'aggrava : contre Mazarin — qui dut s'enfuir en février 1651 — se forma l'apparente union de tous les mécontents. Deux ans encore d'anarchie, mêlée à la menace espagnole. Les derniers foyers de résistance furent Paris et Bordeaux.

La Fronde a emprunté son nom à un jeu d'enfants : elle en eut en effet tous les caractères. Entre les Princes — et leurs clients armés — la Cour, les Parlements, les municipalités se déroula un jeu complexe et mouvant dont on ne peut que rappeler ici les traits principaux. Ni dans l'opposition parlementaire, réelle mais prudente, ni dans la majorité des pamphlets, on ne trouve autre chose que la volonté de renvoyer le premier ministre et le refus des transformations (impôts, « partisans », intendants) dues à la guerre. Les courants « extrémistes » eux-mêmes — à Paris, de janvier à avril 1649, à Paris et à Bordeaux en 1652-1653 — ne firent qu'exprimer de vieilles amertumes et de vieilles utopies. Comme au temps de la Ligue, mais avec beaucoup moins de cohérence et d'audaces, un courant plébéien et petit-bourgeois profitait d'une crise *ouverte au sein du monde dirigeant* pour expliciter ses rêves et ses rancunes.

Telle est du reste la leçon essentielle de ces crises : ce fut seulement quand au sommet de la société des divisions se produisirent que certaines laves émanées des strates inférieures purent se frayer leur chemin. Mais très vite ces possibilités se refermaient grâce aux compromis intervenus dans le monde des notables.

II. — LES SÉDITIONS ANTI-FISCALES

Les révoltes contre l'impôt — pour l'essentiel, des révoltes paysannes — mettent en cause d'autres comportements et se distinguent des grandes crises en ceci que les milieux dirigeants n'y apparaissent pas massivement. Seuls des éléments appauvris ou déclassés de ces milieux (petits nobles ruinés, curés et vicaires aux ongles rognés, petits officiers exclus des hautes charges) acceptèrent — parfois contraints et forcés — d'en prendre la direction. Révoltes paysannes et plébéiennes, non révoltes des misérables : c'est la communauté villageoise, l'ensemble de ceux qui doivent et peuvent payer l'impôt, qui conteste, non la masse de ceux qui n'ont rien (70). Dans ces révoltes apparaissent, du reste, selon les moments, des motivations plus profondes et des ressorts affectifs plus cachés que les revendications contre le seul fisc. Quatre étapes s'inscrivent dans la longue marche de ce mouvement protestataire.

• Le XVIe siècle a connu, dans sa première période, deux révoltes anti-fiscales, toutes deux provoquées par la réorganisation et l'extension de la *gabelle* (impôt sur le sel) à des régions qui en étaient exemptes : soulèvement de la Rochelle, de l'Aunis et de la Saintonge en 1542, soulèvement de la Guyenne et de l'Angoumois en 1548. Mais ces révoltes, facilement et modérément réprimées, suivies d'un recul de la fiscalité, ne laissèrent que peu de traces. Le grand remueménage de la Réforme et des guerres de religion provoqua, surtout dans le Sud et le Massif Central, une remise en cause globale des prélèvements sur le revenu paysan : la dîme (on l'a vu), le prélèvement seigneurial et l'impôt. Dans les années de la Ligue (de 1590 à 1595) les *Croquants* du Massif-Central, les *Tards-Venus* du Périgord, les *Gautiers* de Normandie, les paysans bretons, élaborèrent, à des degrés divers, un programme extrêmement radical et global de revendications : contre les nobles et « leur » guerre, contre les agents du fisc, contre les « étrangers » venus des villes pour leur arracher le produit de leur travail. C'était toute la société « établie » qui était ainsi contestée. On comprend que les nobles, ligueurs et royalistes, se soient réconciliés en écrasant conjointement ces révoltes.

• En vingt-cinq ans (de 1600 à 1625) de calme relatif — dû en partie au fait qu'on eut recours plus à l'impôt indirect qu'à l'impôt direct — des changements importants s'annoncèrent : l'appui donné par la monarchie à la reconquête catholique imposa aux communautés villageoises le respect de la dîme. Désormais c'était contre l'impôt royal — l'impôt direct : la taille, mais aussi un impôt indirect : la gabelle — qu'allaient se concentrer les fureurs paysannes. Avec le tour de vis fiscal de Richelieu s'ouvrit un grand cycle de révoltes, de 1625 à la Fronde. Révoltes endémiques, culminant avec les *Nouveaux Croquants* du Sud-Ouest (1636-1637) et les *Nu-Pieds* de Basse Normandie (1639-1642). Ces grands mouvements ne doivent pas laisser oublier que la majeure partie du royaume vivait en état d'anarchie anti-fiscale permanente. Ce sont eux, pourtant, qui ont alimenté, voici quelques années, un mémorable débat entre R. Mousnier et B. Porchnev. Alors que ce dernier y voyait l'amorce d'une révolution « bourgeoisie » trahie par la bourgeoisie des officiers et des financiers, R. Mousnier y décelait des révoltes suscitées en sous-main par seigneurs et officiers contre les progrès centralisateurs introduits par l'impôt royal. Les recherches plus précises entreprises depuis ces débats (71) permettent de situer ailleurs les problèmes. Issue de milieux paysans relativement protégés (non les plus pauvres), trouvant son terreau naturel dans la France pauvre des bocages, des montagnes et des plateaux, dans la France aussi des « allogènes » (Occitans et Bretons) cette révolte fut encadrée par les aigris et les « ratés » des milieux dominants. Ni projet révolutionnaire ni réaction seigneuriale.

• Un autre cycle de révoltes s'ouvre après 1656 : révolte du Boulonnais, dite de *Lustucru* (1656-1662), révolte d'Audijos en Gascogne (1664-1665), révolte des *Miquelets* du Roussillon (1666-1670), révolte du Bas-Vivarais (1670), révolte de Bretagne (1675). La motivation anti-fiscale se doubla parfois, notamment en Bretagne, d'une pointe anti-seigneuriale fortement marquée. Le code des insurgés bretons qui inscrivait le droit des paysans à épouser des filles nobles est au confluent du passé et de l'avenir : il traduit un vieux fonds de revendications égalitaires resté plus vivace dans les régions « archaïques » que dans celles qui furent mangées par le progrès, il annonce cette étonnante convergence des vieux rêves et des nouveaux espoirs que connut la France rurale des XIXᵉ et XXᵉ siècles.

• Après 1680 cessèrent les révoltes ouvertes contre l'impôt. Le XVIIIᵉ siècle ne connut — et la Révolution française en héritera — que les émeutes de « subsistances », émeutes de consommateurs atteints par la hausse brutale du prix des denrées (avant tout : le pain) et réclamant leur taxation. Pourquoi cette rupture ? On peut, semble-t-il, faire intervenir trois séries de causalités. Les choix fiscaux du gouvernement, d'abord. En comprenant que l'impôt direct ne pouvait être infiniment augmenté, que les impôts indirects étaient plus supportables et moins « révoltants », Colbert et ses successeurs ouvrirent une soupape de sûreté. Ce choix s'accompagna de l'emprise croissante des agents d'exécution de l'état que nous avons déjà décrite : face à cette bureaucratie partout répandue, comment se rebeller ? Enfin la notion même de révolte était sans doute enfouie dans les consciences par l'immense effort de réduction des masses aux valeurs de l'élite que l'Église, l'État, et la société dominante poursuivaient victorieusement depuis un siècle. Cet effort, les résistances tenances auxquelles il s'est heurté : voilà ce qu'il faut maintenant évoquer.

III. — LE GRAND REFUS DES HUMBLES

Les luttes anti-fiscales et anti-scigneuriales n'ont pas toujours revêtu la forme de séditions armées ; elles s'exprimèrent parfois, notamment dans le midi de la France, sans la médiation des motivations conscientes, par des scènes à la fois vécues et jouées où s'épanouissaient des pulsions psychiques sous-jacentes dont le ressort profond était l'*inversion sociale* : transformer les seigneurs en valets, les prêtres en serviteurs de Satan, les riches en pauvres, les maîtres en esclaves. De ces actes manqués, plus révélateurs de l'univers refoulé de l'inconscient collectif que n'importe quelle révolte, Le Roy Ladurie a donné deux exemples fascinants : le *carnaval* de Romans (1580) qui s'acheva par la répression sanglante des meneurs du parti populaire et les mutilations cérémonieuses qui accompagnèrent la révolte d'Agen contre la gabelle en juin 1635 (72). Même volonté d'inversion dans l'épidémie de sorcel-

lerie qui s'abat dans l'Est (Lorraine et Franche-Comté),
le sud-ouest (Guyenne) et la périphérie sud-occiden-
tale du Massif Central de 1580 à 1610. Partout brûlent
sur les bûchers sorciers et surtout sorcières convain-
cues d'avoir fait pacte avec Satan et s'être livrées, au
cours de sabbats nocturnes, à l'inversion de la messe (73).
Comme l'écrit très heureusement Le Roy Ladurie :
« La conscience paysanne s'exprime, de manière authentique, dans les soulèvements populaires vécus sauvage-
ment jusqu'à l'échec final, mais cette conscience affleure
aussi, sur le mode mythique, dans la révolte imaginaire et fantastique, dans le sabbat, tentative d'évasion
diabolique. » Dans l'un et l'autre cas il s'agit de *mettre
le monde à l'envers*. Le mouvement sans-culotte des
années 1789-1794, avec ses mots d'ordres spécifiques
(« les derniers seront les premiers »), héritera de ces
obsessions ancestrales.

Les campagnes ne furent pas seules touchées par ces
formes mythiques d'évasion. Dans les grandes villes,
à Paris en particulier, il suffit de lire les mémoires des
contemporains (je pense surtout aux « mémoires-
journaux » de Pierre de l'Estoille) pour découvrir,
presque chaque jour, les manifestations de ce margi-
nalisme socio-culturel : sorcières et blasphémateurs,
magiciens et déviés sexuels alimentent à leur façon
la chronique.

Phénomènes individuels ? Non pas. Les « classes dan-
gereuses » — disons : la truanderie traditionnelle — se
gonflent, dans la deuxième moitié du XVIe siècle de la
foule des vagabonds, des errants, chassés des campagnes
par les mauvaises récoltes, la disette, la famine, qui
cherchent dans les villes et leurs *cours des miracles*
protection et refuge. A côté des bandes organisées dont
la hiérarchie est calquée sur celle de la corporation des
merciers, les villes abritent les « gens sans loi et sans
discipline », faux-mendiants et coupeurs de bourses,
qui font trembler les bons bourgeois et interdisent, la
nuit, bien des quartiers aux forces de police. L'important
n'est pas l'existence de ces éléments, c'est la *solidarité*
que manifestaient avec eux les classes inférieures urbaines.
Tout se passe comme s'ils faisaient partie de *leur* monde,
au même titre que les fous ou les pauvres d'esprit (74).
Attitude fondamentale qui reflète une vision commune
de la cité terrestre comme inversion de la Jérusalem
céleste.

C'était cette vision, précisément que voulaient extirper les autorités laïques et ecclésiastiques. Natalie Davis a fort bien montré, à partir de l'exemple lyonnais (75), comment les nouvelles institutions, à la fois charitables et répressives (bureaux des pauvres, aumônes générales) qui se développèrent au XVIe siècle, portaient la marque d'un milieu éclairé de notables (officiers, grands marchands) soucieux, qu'ils fussent catholiques ou protestants, d'*épurer* la cité, de la rapprocher le plus possible de la Jérusalem idéale. La logique du système, c'était le grand renfermement des pauvres, l'exclusion de la ville des éléments « malsains ». A Paris, une première tentative échoua en 1617. L'État fut alors relayé par des associations de notables catholiques (dont la célèbre compagnie du Saint-Sacrement) qui quadrillèrent certains quartiers pour dépister les éléments marginaux. Ce fut encore un échec. Louis XIV reprit les choses en mains, fit fermer en 1656 la dernière cour des miracles, enfermer les pauvres en 1657 dans un Hôpital Général. Ce fut un demi-succès : sur les quarante mille pauvres que comptait la capitale, cinq mille seulement furent enfermés. Mais, inexorablement, la chape s'abattait. Parallèlement, l'Église tridentine s'efforçait d'éliminer de la vie religieuse des manifestations jugées « superstitieuses » alors qu'elles constituaient un élément authentique de la culture des masses (76).

Que cette acculturation imposée par en haut ne se soit pas opérée sans douleurs ni sans séquelles, on pouvait le présumer. Nous commençons à peine à découvrir les *résistances*, les *traumatismes* et les *prolongements* qu'entraîna ce drame, l'un des plus poignants des Temps modernes : le drame du progrès. Résistances ? Les paroissiens de Saint-Sulpice interdirent obstinément aux compagnons d'Olier le quadrillage de leur quartier (77). Ils empêchaient en même temps le guet (équivalent de notre police municipale) de pourchasser chez eux les délinquants. La fermeture de la Cour des Miracles suscita huit révoltes en 1656-1657. Traumatismes ? Le Roy Ladurie a montré, à propos des *convulsions* qui se produisirent chez les protestants des Cévennes après la Révocation de l'Édit de Nantes, quels effets pouvait provoquer l'extirpation d'une culture. Fut-ce un hasard si, dans les années 1730, d'autres scènes convulsionnaires secouèrent le Paris janséniste ? Refoulées par l'État, l'Église et la Société établie, les tendances ancestrales de l'équilibre psychique des masses se frayaient leur chemin par des voies déviées. Les prolongements peuvent s'observer dans le formidable complexe de passions, de rêves et de haines que révélera le mouvement sectionnaire de 1793-1794 (78). Ce fut la revanche des exclus.

Ce tour d'horizon nous a fait découvrir successivement trois mondes dont la pratique absolutiste modifia progressivement les équilibres internes et réciproques. Un monde de gouvernants et d'administrateurs qui acquit, dès la seconde moitié du XVIIᵉ siècle, une autonomie, une puissance et une efficacité considérables. Un monde d'exclus, dont les contestations se réfugièrent de plus en plus dans le domaine de l'imaginaire et du délire. Entre les deux : ces notables divisés, ces élites atomisées, ces participants écartés.

Pour que de la contestation naquît la crise, il fallait précisément que ce monde des notables secrétât un *anti-système*. Il l'avait tenté à plusieurs reprises. Ce fut seulement dans la seconde moitié du XVIIIᵉ siècle qu'il y parvint. Ce sont ces tentatives et cette réussite que nous allons maintenant évoquer.

NOTES ET BIBLIOGRAPHIE DU LIVRE II

(1) Voir la bibliographie citée dans la note 1 de l'Avant-propos.

(2) Voir page 34.

(3) Voir page 77.

(4) Voir tableaux généalogiques pages 47 et 48.

(5) Voir page 34.

(6) Voir page 77.

(7) Voir page 82.

(8) Voir le chapitre 4 du livre II.

(9) Voir le chapitre 1 du livre III.

(10) Georges LIVET. — Les Guerres de Religion, Paris, P.U.F., (Collection « Que sais-je »?).

(11) G. MONGRÉDIEN. — La Journée des Dupes, Paris, Gallimard, 1960.

G. PAGES. — « Autour du Grand Orage », article de la *Revue historique*, 1937.

(12) V.L. TAPIÉ. — La France de Louis XIII et de Richelieu Paris, Flammarion, (réédition), 1967.

(13) Voir page 84.

(14) Cf. notes 8 et 9.

(15) Le meilleur exposé est celui de E. KOSSMANN. — La Fronde, Leyde, 1954.

(16) Pierre GOUBERT. — L'Avènement du roi-soleil. Paris, Julliard, (collection « Archives ») 1967.

(17) Philippe SAGNAC. — La prépondérance française. Volume X de la collection « Peuples et Civilisations » Paris, P.U.F. 1934.

(18) Pierre GOUBERT. Louis XIV et vingt millions de Français. Paris, Fayard (Collection « L'histoire sans frontières »), 1965.

(19) Voir le chapitre 2 du livre III.

(20) Pierre CHAUNU. — L'Europe des Lumières. Paris, Arthaud (Collection « Les Grandes Civilisations »), 1971.

(21) Michel ANTOINE. — Le Conseil du Roi sous Louis XV, Genève, Droz, 1970.

(22) MOUSNIER. — Article reproduit dans le recueil cité à la note 2 du livre II.

(23) Voir le chapitre 3 du livre III.

(24) LE ROY LADURIE. — Livre cité note 24 page 16.

(25) Voir le chapitre 4 du livre II.

(26) O. RANUM. — Les créatures de Richelieu, Paris, Pedone, 1966.

(27) R. MOUSNIER et ses collaborateurs. Le conseil du Roi de Louis XII à la Révolution, Paris, P.U.F., 1970.

(28) Ibidem.

(29) R. MOUSNIER. — La vénalité des offices sous Henri IV et Louis XIII, Rouen, Maugard, 1945.

(30) Voir note 22.

(31) Voir chapitre 3 du livre II.

(32) RICHET. — Article cité note 49.

(33) Voir notes 1 et 13 de l'Avant-propos.

(34) Voir note 27.

(35) RICHET. — Article cité note 6 page 61.

(36) FURET. — Article cité note 14 page 16.

(37) RICHET. — Article cité note 6 page 61.

(38) RICHET. — Les origines et la fortune du chancelier Séguier (à paraître).

(39) N. M. SUTHERLAND. — The French Secretaries of state in the Age of Catherine de Médici, University of London Historical Studies, 1962.

(40) Voir page 69.

(41) MOUSNIER. — Cf. note 1 de l'Avant-propos.

(42) Ibidem.

(43) M. BORDES. — Les Intendants de Louis XV, article de la Revue Historique, janvier-mars 1960.

(44) Reproduite dans le recueil cité note 1 de l'Avant-propos.

(45) J. RUSSEL-MAJOR. — Representative institutions in Renaissance France, Madison University of Wisconsin Press, 1960.

(46) GOUBERT. — Livre cité note 1 de l'Avant-propos.

(47) J. COUDY. — Les moyens d'action de l'ordre du clergé au Conseil du Roi, Paris, Sirey, 1954.

(48) Voir page 117.

(49) F. FURET et D. RICHET. — La Révolution française. Paris, Réalités-Hachette, 1965.

(50) Voir le chapitre 4 du livre II.

(51) Cf. note 45.

(52) Cf. note 6 du livre I page 61.

(53) « Problèmes de stratification sociale. Actes du colloque international (1966) publiées par R. Mousnier, Paris P.U.F., 1968.

(54) R. ROBIN. — La Société française à la veille de la Révolution : Semur-en-Auxois, Paris, Plon, 1970.

(55) Cité note 13 page 16.

(56) Voir mes remarques page 9.

(57) GOUBERT. — Livre cité note 1 de l'Avant-propos.

(58) S. MASTELLONE. — La Reggenza di Maria de Médici, Mesire, 1962.

(59) Cité note 15.

(60) Voir livre III.

(61) L. ROTHKRUG. — Opposition to Louis XIV, Princeton University Press, 1965.

(62) Voir chapitre 2 du livre III.

(63) Voir chapitre 3 du livre III.

(64) Voir pages 69 et suivantes.

(65) Engels : La guerre des Paysans. (traduction française : Bracke, 1952).

(66) H. HAUSER. — La Réforme et les classes populaires dans « Études sur la Réforme française » Paris, Alcan, 1909.

(67) J. DELUMEAU. — Naissance et affirmation de la Réforme. Paris, P.U.F. (Collection « Nouvelle Clio »), 1968.

(68) Voir page 115.

(69) Voir page 65.

(70) LE ROY LADURIE, cité note 24 page 16.
MOUSNIER, cité note 1 page 15.
PORCHNEV, cité note 13 page 16.

(71) Particulièrement : M. Foisil. — La Révolte des Nu-Pieds, Paris, P.U.F., 1970.

(72) LE ROY LADURIE, livre cité note 24 page 16.

(73) R. MANDROU. — Magistrats et sorciers de France au XVII⁰ siècle, Paris, Plon, 1968.

(74) Ce passage repose sur un cours prononcé à l'E.P.H.E. en 1969-1970.

(75) N. DAVIS. — Assistance aux pauvres, humanisme et hérésie, Genève, 1968.

(76) J. DELUMEAU. — L'Église catholique de Luther à Voltaire. Paris, P.U.F. (collection « Nouvelle Clio ») 1971.

(77) Thèse en préparation de M. Nagle (Paris).

(78) FURET et RICHET. — Livre cité note 49.

Livre III

LA CRISE DU SYSTÈME

DE LA CRITIQUE A LA CRISE

Contestations, critique, crise : ce ne sont pas seulement des niveaux différents d'une prise de conscience, ce sont des catégories historiques qui peuvent se mêler dans une même situation sans se confondre dans leurs finalités ni leurs résultats.

Les contestations, on l'a vu, furent inhérentes au système : non des corps étrangers introduits subrepticement dans un organisme sain, mais une des composantes de cet équilibre mouvant sur quoi reposait la France moderne. Même les secousses brutales de la Ligue ou de la Fronde ne débouchèrent, *dans les faits*, sur aucune remise en cause révolutionnaire.

Ces secousses s'accompagnèrent pourtant d'une masse de pamphlets, de traités théoriques, d'écrits ou de discours (pensons ici aux prédicateurs de la Ligue) qui nous oblige à y rechercher la *critique* du système : l'ensemble des valeurs opposées aux valeurs dominantes, le moule conceptuel dans lequel s'introduisaient ces valeurs, leur force et leur vulnérabilité. Plus encore que ces périodes de défoulement verbal importe pour nous la phase de maturation silencieuse qui va de Descartes à Spinoza : le nouveau climat scientifique et intellectuel qui, en un premier temps, a semblé favoriser l'absolutisme, devient orageux autour des années 1680 : ni l'État ni la Société ne sont plus à l'abri de la célèbre « parenthèse » cartésienne. La critique passe de la nostalgie à l'espérance.

La crise commença seulement quand, à partir de 1750, la convergence des critiques, l'élaboration d'un anti-système, le contraste entre le réel et le possible, tout aboutit à une véritable révolution, dans les esprits d'abord, dans les conduites ensuite. Alors naquit l'*Ancien Régime* : image tardive et désenchantée que se faisaient les élites d'un système qu'elles ne toléraient plus.

Telles sont les lignes directrices de ce dernier livre : le Temps des Nostalgies (1560-1660), le Temps des Ouvertures (1680-1750), le Temps des Lumières (1750-1787), l'Ancien Régime (1787-1789).

les premières guerres de religion, les hommes de Genève ne cessèrent de conseiller aux Huguenots de France ce respect et cette fidélité : on pouvait s'en prendre aux « mauvais » conseillers d'un roi mineur, non au roi lui-même, investi par Dieu d'une autorité sans partage. Ce fut le massacre de la Saint-Barthélemy (1572) qui provoqua une rupture. Une polémique abondante (1), parfois violente et passionnelle, souvent suspecte aux maîtres de Genève, sembla s'opposer de plein front aux idées politiques dominantes. Quatre écrits ont surtout compté. Dû sans doute au pasteur Nicolas Barnaud, le « *Réveille-matin des Français* » (1570) est un pamphlet brûlant mais assez pauvre en contenu doctrinal : il fut désavoué par Théodore de Bèze et par la plupart des Réformés français. La même année le juriste François Hotman, qui appartenait à une bonne famille de robins, publiait sa « *Franco-Gallia* », œuvre capitale par la révision qu'elle proposait de l'histoire et du droit français. Un traité anonyme, *Du droit des Magistrats sur leur sujet* » (1575) et, surtout, le « *Vindiciae contra tyrannos* » (1579) auquel collabora Duplessis-Mornay, complétèrent l'argumentation.

Sur quoi reposait-elle ? A la foi sur une reconstruction historique, sur le thème biblique du contrat, sur les débats scolastiques concernant le tyrannicide (2).

— La reconstruction historique fut l'œuvre d'Hotman. Il prétendait prouver que dès l'époque gauloise, en passant par la période mérovingienne, le pouvoir royal avait toujours été *électif* et *soumis au contrôle d'une assemblée*. Le « placitum » mérovingien s'était transformé en États Généraux, mais la continuité entre ces deux institutions était parfaite. Si depuis une période récente le Parlement de Paris avait favorisé la déviation absolutiste, c'était au prix d'une véritable usurpation de souveraineté. « Les Rois ainsi élus n'avoyent point une puissance absolue et infinie, ains au contraire resserrée et limitée par certaines loix, de sorte qu'ils estoient autant sous la puissance et authorité du peuple, comme le peuple sous la leur, au moyen de quoi ces règnes, à dire vray, n'estoient autre chose que magistrats perpétuels. » Et Hotman, rejetant la conception romaine de l'« imperium », affirmait que la formule : « Car tel est nostre plaisir » n'était qu'un contresens intéressé sur le « placitum ». La véritable traduction, selon lui, devait être : « Car telle est nostre résolution ou arrest

I

LE TEMPS DES NOSTALGIES
(1560-1660)

Les conflits politico-religieux du second XVIᵉ et du
premier XVIIᵉ siècles ont favorisé la résurgence de vieux
thèmes qui pouvaient mettre en péril, à des degrés divers,
les fondements du système absolutiste. Mais la portée
de ces courants fut très inégale. Les attaques protes-
tantes demeurèrent, dans leur ensemble, sous le signe
d'une prudence assez conservatrice. Au contraire la
Ligue parisienne et cléricale tira les conséquences les
plus radicales du « corpus » légué par la scolastique.
Avec la Fronde, on atteint le niveau le plus bas dans la
critique du régime : les esprits sont déjà imprégnés de
l'idéologie qu'ils combattent.

Ce qui unit et caractérise ces remises en cause, c'est
qu'elles se firent au nom du passé. On protesta contre
ce qui semblait être l'altération du régime traditionnel
par la pratique envahissante de la monarchie absolue.
On opposa à un passé idéalisé un présent qu'on refusait.
Sans doute la novation put-elle s'introduire dans les
plis d'un drapeau ancien, mais sans que ses porteurs
en aient eu conscience.

I. — LES PRUDENCES HUGUENOTES

Calvin, on le sait, prêcha toujours le respect pour les
pouvoirs établis par Dieu : même au plus fort des persé-
cutions (avant 1560) les martyrs du protestantisme français manifestèrent leur fidélité absolue aux souverains
qui les envoyaient sur les bûchers. Lorsque s'ouvrirent

pris avec le conseil de nos Estats ». Ce recours à l'histoire contre l'absolutisme passera en Angleterre et aux Provinces-Unies au XVIIᵉ siècle avant de revenir en France à la fin du règne de Louis XIV. C'était sans doute l'aspect le plus novateur de la critique huguenote.

— Le thème biblique, puisé dans l'Ancien Testament, était celui du double contrat. L'exemple du peuple hébreu montrait qu'à l'origine de toute monarchie deux alliances, deux pactes, deux contrats étaient nécessaires. Une première alliance était conclue entre Dieu d'une part, le roi et le peuple de l'autre : Dieu se dépouille de son autorité entre les mains du roi « à condition que le peuple demeure toujours le peuple de Dieu », mais il conserve sa juridiction suprême, « ni plus ni moins que celuy qui choisit un berger pour garder ses troupeaux demeure néantmoins toujours maître d'iceux » (Duplessis-Mornay). Un deuxième pacte, garanti par Dieu, est conclu entre le roi et le peuple : le peuple promet d'obéir au roi, le roi promet d'obéir aux lois de Dieu et de l'humanité. Notons que cette référence aux contrats originels n'avait rien de révolutionnaire : même les théoriciens les plus absolutistes du XVIIᵉ siècle la conservèrent. Ce qui l'était, par contre, c'était son utilisation à des fins politiques immédiates (la menace d'un constat de rupture de ces pactes), le greffage des passions huguenotes sur une notion jusqu'alors dépérissante.

— Plus important était le problème du tyrannicide, tiré par les huguenots de l'arsenal des grands scolastiques des XIIᵉ et XIIIᵉ siècles. Ceux-ci, notamment Jean de Salisbury (auteur du « Policraticus », 1159) et Thomas d'Aquin, s'étaient efforcés de concilier l'enseignement d'Aristote avec les préceptes du Christ. Malgré le cinquième commandement (« Tu ne tueras point »), malgré Saint-Paul (« Qui résiste au pouvoir résiste à l'ordre de Dieu »), ils concluaient qu'en certains cas et selon certaines modalités il était licite de tuer un tyran. Mais ils reprenaient la distinction aristotélicienne entre « tyran d'origine » (celui qui s'empare par violence et usurpation d'un pouvoir qui ne lui appartient pas de droit) et « tyran d'exercice », c'est-à-dire un prince légitime qui transgresse les lois divines et humaines. Quant au tyran d'origine, les scolastiques avaient généralement admis que n'importe quel sujet avait le droit de le tuer. Mais le « tyran d'exercice » — c'est-à-dire,

pour les Huguenots, Charles IX après la Saint-Barthélemy — ne relevait pas du droit individuel à l'assassinat.
La modalité ordinaire de la sanction devait être une
sentence prononcée par les magistrats. On admettait
cependant — à titre exceptionnel — que Dieu puisse
inspirer à un élu une mission extraordinaire, celle de
tuer le tyran. En ce cas l'élu avait le devoir de remplir
sa mission et ne pouvait être considéré comme un
assassin. Ces thèmes d'école, contredits par le renforcement du pouvoir royal, n'étaient resté vivants que
dans les Universités et les ordres mendiants. Condamné
par la Faculté de Théologie de Paris (1413), par le Concile
de Constance (1415) et, naturellement, par le Parlement de Paris (1416) le tyrannicide semblait être tombé
dans le domaine des pures spéculations lorsque la Saint-
Barthélemy offrit aux pamphlétaires huguenots l'occasion d'en débattre au grand jour. Ils le firent, mais avec
une prudence qui trahit un *double conservatisme* (3).

• Conservatisme social : seuls peuvent résister aux
tyrans les « gens de bien et d'honneur », les « nobles
et autres personnages notables », les « magistrats », les
autorités régionales. Sont expressément exclus de ce
droit à la résistance « la populace », le « parti des séditieux », les « personnes du tout privées et sans aucune
charge d'estat », ces « furieux et turbulents Anabatistes
que nous confessons tous pouvoir estre dignement chas-
tiez par le magistrat ». Seule l'élite était ainsi autorisée
à battre en brèche le fonctionnement du pouvoir absolu.

• Conservatisme théorique, plus profond qu'il ne
semble à première vue. En condamnant Machiavel,
en rappelant sans cesse la finalité chrétienne du pouvoir
royal, en soulignant la force des lois et coutumes qui
bornent ce pouvoir, Hotman et Duplessis-Mornay se
plaçaient finalement sur le même terrain que leurs adversaires, c'est-à-dire à l'*intérieur du cadre idéal de la monarchie tempérée* (4). Ce qu'ils mettent en cause, c'est son
fonctionnement réel.

La mort du Duc d'Anjou (1584) faisant du protestant Henri de Navarre l'héritier présomptif de la couronne, les Réformés retrouvèrent facilement les chemins
du conformisme politique. Mais l'explosion des années
1570 n'en eut pas moins, à travers ces prudences, une
double portée. Elle fournit aux puritains anglais du
début du XVIIe siècle les justifications théoriques dont
ils éprouvaient le besoin, et par ce canal, elle inspira

aux émigrés français, après la Révocation de l'Édit de Nantes, une sorte de « revival » politico-religieux. A plus court terme elle jeta sur le marché des idées et des passions un matériau jusque-là réservé à la consommation interne des facultés et des couvents.

II. — LE RADICALISME LIGUEUR

Ce fut précisément de ces universités et de ces couvents que sortirent les mots d'ordre mobilisateurs de la Ligue parisienne. Laissons de côté les écrits émanés de l'aile modérée du camp ligueur : le principe monarchique n'y est pas contesté. Bien plus précieuse pour notre propos est l'étude du courant « monarchomaque » qui s'exprima très librement dans la capitale entre 1588 et 1594. Il s'exprima surtout verbalement, dans les prédications que lançaient de leurs chaires curés et moines réguliers (5). De ces discours, on n'a conservé malheureusement que des échos déformés par la partialité : c'est par des adversaires qu'ils nous sont parvenus. Parmi les écrits, trois surtout sont importants. Jean Boucher, curé de Saint-Benoît écrivit pendant le printemps 1589 un grand traité qui était déjà à moitié imprimé lorsque Jacques Clément tua Henri III : le « *De justa Henrici abdicatione* ». Un an plus tard paraissait l'anonyme « *De justa reipublicae christianae in reges impios et haereticos autoritate* ». Et, au crépuscule de la Ligue (1594), le « *Dialogue du Maheustre et du Manant* » (6) traduisit les nostalgies et les amertumes du parti vaincu.

On s'accorde, depuis un demi-siècle, à ironiser sur cette ruse de l'Histoire : le renversement conjoncturel de la situation politique aurait fait adopter par les ligueurs de 1589 les positions des Huguenots de 1573. Tout n'est pas faux dans cette appréciation. Incontestablement l'extrémisme ligueur puisa aux mêmes sources, bibliques et scolastiques, que la polémique protestante. Le thème du double contrat, la référence aux États Généraux, les débats sur le tyrannicide constituent une trame commune. Mais la vision du monde dans laquelle s'insèrent ces thèmes n'est pas du tout la même. Trois différences fondamentales apparaissent entre la critique protestante et la critique ligueuse.

• L'apologie du tyrannicide — en fait : du régicide — fut chez ces Ligueurs constante, fondamentale, sans aucune des réserves et des prudences que l'on a rencontrées chez les Réformés. Jean Boucher élargit considérablement les arguments des scolastiques du XIIIe siècle. Non seulement le Pape et le Peuple peuvent déposer les mauvais rois, mais point n'est besoin d'attendre une déposition régulière prononcée par des États Généraux. Un mauvais roi cesse d'être roi, redevient une personne privée qui tombe sous le coup du droit criminel, et que chacun peut tuer. Jacques Clément méritait donc les plus vifs éloges pour avoir renouvelé le geste de Judith sur Holopherne. Toutes les limitations antérieurement dressées contre le tyrannicide disparaissaient. Le régicide était conçu comme une reprise de la souveraineté.

• Ce refus d'un souverain « impie » et « fauteur d'hérésie » était fondé sur un exclusivisme catholique sans compromission ni accommodement. Alors que les Huguenots n'avaient jamais contesté le droit du Prince de pratiquer une religion différente de la leur, les Ligueurs subordonnaient leur obéissance et leur patriotisme à la défense intransigeante de leur foi. Boucher l'a écrit en leur nom : « Ce que la Ligue pense, fait et respire n'est autre chose que l'Église. » Et l'auteur du *Dialogue* : « Les vrais héritiers de la Couronne, ce sont ceux qui sont dignes de porter le caractère de Dieu. S'il plaist à Dieu nous donner un roi de nation française, son nom soit béni. Si de Lorraine, son nom soit béni. Si Espagnol, son nom soit béni. Si Allemand, son nom soit béni... Cela nous est indifférent, nous n'affectons la nation, mais la Religion. » Dernier écho nostalgique du vieux rêve médiéval de la république chrétienne.

• Enfin, loin de réserver aux notables le droit à la résistance (ce que faisaient les pamphlétaires huguenots), les curés et les petits officiers de la Ligue exprimèrent leur méfiance à l'égard des classes supérieures, toujours complices de la tyrannie. « La noblesse, écrit l'auteur du *Dialogue*, n'est à présent qu'une espèce imaginaire... Vous autres soutenez la tyrannie parce qu'elle vous fait vivre. » Ce sentiment d'avoir été trahis par les nobles, les grands robins et les dignitaires de l'Église reflète, à sa manière, le mouvement réel de l'Histoire, la constitution d'un milieu dominant associé à l'absolutisme.

Mais il le reflète à l'*envers*. Que pouvaient faire les Ligueurs contre une évolution irréversible, sinon opposer au cours du temps l'image d'un passé idéalisé ? Le

« peuple de Dieu » n'avait qu'à rentrer dans ses couvents ou s'enfermer dans ses études et ses greffes. C'est pourquoi la critique ligueuse, à court terme infiniment plus radicale et plus dangereuse pour la monarchie que la polémique huguenote, ne portait pas en elle les mêmes germes de novation. C'était un cri de désespoir.

III. — LES BALBUTIEMENTS DE LA FRONDE

La Fronde a suscité un véritable déluge de pamphlets : des dizaines de milliers de « mazarinades » dorment encore dans divers fonds d'archives et bibliothèques sans que leur recensement soit prêt d'être achevé. (6 bis) On comprendra donc qu'une grande prudence s'impose, lorsqu'il s'agit de tirer des conclusions à partir de sources nécessairement très partielles. Mais comme les historiens ont parfois cru déceler des hardiesses novatrices dans les discours et les écrits de l'époque, il nous faut reprendre les textes sur lesquels ils s'appuient. Trois questions ont été ainsi posées : l'opposition parlementaire de 1648 fut-elle révolutionnaire ? De l'œuvre du théoricien Claude Joly et des premières mazarinades se dégage-t-il une conception politique nouvelle ? Quelle fut la portée réelle des courants « radicaux » qui se manifestèrent à Paris et à Bordeaux de 1648 à 1652 ?

En dépit des assertions des historiens de la Restauration qui voyaient dans la charte de 1814 « les institutions que nos pères réclamaient en 1648 » (Sainte-Aulaire), l'opposition parlementaire à Mazarin, aux traitants et aux intendants, ne se traduisit par aucune remise en cause du système politique fondamental. Ce qui ressort, au contraire, des débats de la chambre Saint-Louis (7), c'est la volonté farouche de respecter la zone d'ombre où étaient enfouis les mystères de la souveraineté royale et de ses limites. Il ne convenait pas, comme l'a écrit le cardinal de Retz, de « déchirer le voile qui couvre le mystère de l'État ». Significatif à cet égard fut l'émoi du Parlement quand, en février 1648, Mazarin lui demanda de préciser jusqu'à quel point il avait le droit d'étendre son opposition aux ordres du roi. Broussel, un des leaders de la résistance, répondit « qu'il ne fallait point agiter telles questions, dont les seules propositions ébranlent l'autorité du Roi et diminuent l'obéissance des peuples ». Au nom du Parlement, Omer Talon écrivait à la Reine : « Trouvez bon, Madame, s'il vous plaît, qu'il n'ait pas délibéré sur la question la plus importante et la plus difficile de la politique, savoir la mesure, connaître l'étendue et la capacité des puissances légitimes. » C'était un refus de principe de se placer sur le terrain constitutionnel. En vérité ces parlementaires rampants ressemblent aussi peu aux Constituants de 1789 qu'aux vigoureux prédicateurs de la Ligue.

— Trouvera-t-on plus d'audace dans les écrits de Claude Joly — dont on nous dit qu'il fut le théoricien le plus anti-absolutiste de la Fronde (8) — ou dans les mazarinades de 1648 et 1649 ? Ancien avocat au Parlement de Paris, petit-fils du célèbre juriste Antoine Noysel, Joly publia en 1652 un « *Recueil de maximes véritables et importantes pour l'institution du roi contre la fausse et pernicieuse politique du cardinal Mazarin* ». On n'y trouve rien d'autre que la distinction bodinienne entre monarchie royale et monarchie seigneuriale, le rappel des limites fondamentales du pouvoir royal, l'allusion au rôle originel du peuple dans le choix de la monarchie : autant de thèmes qui ne pouvaient choquer les absolutistes. Quant aux mazarinades — celles du moins que nous connaissons — il est impossible d'en tirer une théorie cohérente. Ce qui frappe, en premier lieu, c'est que la plupart des auteurs se sont posés non en adversaires mais en *défenseurs* du système, altéré selon eux depuis Richelieu ou Mazarin. Ce conservatisme se manifeste par la volonté de se démarquer et de la Ligue et de la Révolution anglaise contemporaine. Ouvrons un pamphlet de 1649, les « *Souhaits de la France* » : « La Ligue avait pour but l'usurpation de la monarchie, la Fronde de ne travailler qu'à maintenir l'autorité souveraine. » La « *Lettre d'un Milord d'Angleterre* » (1649) blâme les séditieux Anglais qui ont osé se révolter contre leur roi. En définitive, on se contente de reprocher à Mazarin d'avoir confondu deux types de régimes, distingués depuis Aristote prolongé par Bodin : monarchie et despotisme. On peut lire, dans un des pamphlets les plus violents, les « *Thèses d'État tirées de la politique chrétienne* » ces lignes désespérantes par leur fadeur : « Le Roi peut disposer de nos vies et de nos biens, non pas despotiquement ou comme bon lui semble mais pour le bien de l'État. Arrière donc ceux qui ne

mettent aucune distinction entre la souveraineté et
l'usurpation, entre les tyrans et les rois, entre les sujets
et les esclaves. » Ni Bodin ni Loyseau n'auraient désavoué cette idée.

— Le plus récent historien de la Fronde, Kossmann (9),
croit pouvoir déceler dans le déroulement des événements deux moments où un courant extrémiste se serait
exprimé : le siège de Paris de janvier à avril 1649,
pendant lequel « l'esquisse d'une théorie politique radicale » se dégagerait de certains pamphlets, et la phase
ultime de la Fronde (1652) où un véritable mouvement
populaire autonome (une pré-sans-culotterie) se serait
développé. Reprenons les textes cités par Kossmann.

De ces écrits de 1649, notamment de ceux du polé-
miste Dubosc-Montandré qui suivra le prince de
Condé en exil, ne se dégage nullement l'idée d'un
« programme libéral ». Indivisibilité de la souveraineté,
distinction entre la personne du roi et l'âme de la
royauté (l'État), exaltation du rôle du Parlement et de
l'aristocratie dans les conseils du roi, sanctions contre
les mauvais ministres : le système n'était attaqué ni au
nom du libéralisme moderne ni au nom des vieux
thèmes ressuscités par la Ligue. Ne confondons pas le
radicalisme militant (absence de compromis dans les
luttes politiques) et le radicalisme de la critique théorique : sur ce point la pauvreté fut extrême. Écoutons
Dubosc-Montandré : « Le roi ne peut agir que par les
conseils de son Altesse Royale et Messieurs les Princes,
et ses volontés ne nous peuvent être déclarées que par
les bouches de ses parlements. » C'était la vieille revendication qui apparaissait dans toutes les périodes de
minorité.

• Quant au courant « populaire » et « autonome » de
1652, il ne fut, semble-t-il, ni populaire ni autonome, mais
radical. Comme au temps de la Ligue, comme demain
chez les sans-culottes de 1793-94, on trouve un radicalisme petit-bourgeois, mais sans les mots d'ordre
spécifiques que les cadres cléricaux (en 1589) ou intellectuels (1793) surent en d'autres temps lui donner.
Ce radicalisme profite d'une crise ouverte par d'autres
(dans les étages supérieurs de la société) pour faire
jaillir tout un complexe de passions, d'amertumes, de
rêves et d'utopies qui existe à l'état latent mais que
seules révèlent ces grandes secousses. Appel à la ven-
geance, à l'arrestation des « suspects », au pillage de

leurs maisons, méfiance à l'égard des « Grands », « affranchissement de la misère et de l'oppression qui pèse sur les esclaves » : on connaît là cette grande poussée vers l'inversion du monde réel. Aboutit-elle à une théorie politique originale ? Certains pamphlets parisiens opposèrent ouvertement l'idéal républicain à la monarchie. « *La Mercuriale* » reconnut que c'était une fiction de prétendre faire la guerre à Mazarin et non au Roi : « Nous sommes injustes de faire la guerre au Mazarin et non pas au roi, parce que le roi se sert plutôt de Mazarin pour renverser les lois, ravir nos vies et nos biens que le Mazarin du roi pour achever la perte de cet état... Le Roi est la véritable cause de la guerre civile. » Et « *le Caractère de la Royauté* » rappelle les vieux rêves de l'Antiquité, rajeunis au XVIᵉ siècle par le *Contr'un* d'Étienne de la Boétie : « Quoique la fin de la politique soit de rendre les hommes heureux, et que pour parvenir à cette fin le gouvernement monarchique ait été jugé le plus propre par beaucoup de sages, néanmoins l'expérience nous fait voir le contraire. » Revendication républicaine ? Sans programme, sans appuis concrets, sans armature doctrinale, ce n'était que le symptôme d'un désenchantement. L'*Ormée* bordelaise — cette contre-organisation municipale qui terrorisa les notables — fut-elle républicaine ? On l'a prétendu (10) d'après deux lettres de Mazarin (il y affirmait qu'un prêtre aurait publiquement prêché à Bordeaux la formation d'un gouvernement libre et indépendant) et à partir de l'adaptation en français d'un texte célèbre des Niveleurs anglais, l'« *Agreement of the People* » de John Lilburne (11). Le témoignage de Mazarin est suspect : tout le poussait à attiser la peur sociale de l'aile modérée de la Fronde. L'auteur de la translation française du texte anglais était un agent de Cromwell. Si l'on veut savoir ce que pensait l'Ormée, il faut consulter son programme : « *Les Articles de l'Union de l'Ormée en la ville de Bordeaux* ». La revendication essentielle est d'obtenir pour ses membres voix délibérative dans les assemblées générales de la ville. On est loin, on le voit, d'une critique fondamentale du système absolutiste.

Cette critique, du reste, n'aurait pu venir, pour être efficace, que des milieux dominants. Atomisés, divisés, en partie gagnés par les formidables progrès de l'appareil d'état et en partie mécontents, ces milieux n'ont jamais situé si bas que pendant la Fronde leur horizon politique.

En dehors même de cet environnement socio-politique qui condamnait à l'impuissance toute tentative de critique réelle, le cadre mental, l'outillage intellectuel et la conception traditionnelle du monde imposaient un plafond rigide aux contestataires de 1648 comme à ceux de 1589 ou de 1573. Prisonniers du « cosmos » aristotélicien, de la vision organiciste de la société et de l'État, comment auraient-ils pu théoriser leurs observations empiriques sinon en dénonçant des anomalies, des altérations, des « novations », c'est-à-dire en se référant à un équilibre destiné, selon eux, à rester immobile ? Pour que ce plafond fût crevé, il fallut une révolution silencieuse, la révolution scientifique et philosophique.

2

LE TEMPS DES OUVERTURES
(1680-1750)

Entre 1680 et 1750, l'Europe connaît des mutations fondamentales dans les secteurs-clefs de la connaissance. Paul Hazard a diagnostiqué naguère cette « crise de conscience européenne » (12), et, plus récemment, Pierre Chaunu a situé sur « l'horizon 1680 » (13) l'éveil d'une nouvelle conception de l'État et de la Société. Il serait hors de notre propos d'évoquer les aspects européens de cette « insurrection intellectuelle ». Le goût des voyages extra-européens introduisit insensiblement un certain relativisme dans la perception d'institutions et de valeurs jusqu'alors considérées comme transcendantales. L'hégémonie intellectuelle passa du Midi au Nord de l'Europe. Ce fut en Hollande, dans la Hollande bourgeoise et libérale des frères de Witt, que Spinoza élabora la critique la plus radicale de la Cité de Dieu et de la cité terrestre. Dans son « Traité politique » (paru après sa mort en 1677), il jeta les bases du véritable libéralisme : « Je démontre que nul n'est tenu selon le droit de la nature de vivre au gré d'un autre, mais que chacun est le protecteur né de sa propre liberté. » Dans l'Angleterre de la « glorieuse révolution » (1688), John Locke justifia ce libéralisme patricien. Son « Traité sur le gouvernement civil » (1690) répand une théorie du pouvoir fondé sur la suprématie du législatif, et les limites tirées du droit naturel et de la propriété : « Tout gouvernement n'a pas d'autre fin que la conservation de la propriété. »

La France n'échappa pas à ce climat nouveau, mais avec des nuances spécifiques. La victoire de la Contre-

Réforme catholique, après la Révocation de l'Édit de Nantes (1685), mobilisa surtout contre l'Église, ses valeurs et ses miracles, la plume des polémistes. Pierre Bayle (dont le « Dictionnaire historique et critique » parut en 1697) et Fontenelle furent beaucoup plus modérés dans leur critique politique que dans leur critique religieuse. Ce fut par d'autres voies que s'introduisit cette critique : chez les protestants en exil, chez les grands seigneurs proches du sérail, chez les négociants et les économistes témoins des contradictions du système.

I. — L'opposition protestante

Émigrés en Hollande, en Angleterre ou en Allemagne, les cadres du protestantisme français engagèrent avec les apologistes du système une polémique souvent véhémente et parfois violente. Mais le radicalisme de l'expression ne témoigne pas, a priori, du caractère révolutionnaire du contenu. Il nous faut donc reprendre les textes, des plus modérés aux plus audacieux.

• Notons d'abord que chez certains, le loyalisme à l'égard du souverain et la servilité vis-à-vis de l'absolutisme survécurent à la persécution et à l'exil. Citons le pasteur Élie Merlat (« Traité du pouvoir absolu des souverains... », Cologne 1685). « Les souverains à qui Dieu a permis de parvenir au pouvoir absolu n'ont aucune loi qui les règle à l'égard de leurs sujets... De là résulte l'impunité universelle de leurs actions parmi les hommes, et l'engagement des peuples à souffrir sans rébellion tout ce que de tels princes peuvent leur faire souffrir. » De même le pasteur Jean Claude (« Les plaintes des Protestants cruellement opprimez », Cologne, 1686) critique la Révocation mais ne discute pas les fondements de la monarchie absolue.

• La polémique la plus célèbre fut celle qui s'engagea entre Jurieu et Bossuet. Jurieu (1637-1717) avait émigré en Hollande. Il y publia, de 1686 à 1689, des « *Lettres Pastorales adressées aux fidèles de France qui gémissent sous la captivité de Babylone* ». Franck Puaux, (qui édita des extraits de ces lettres (14) et Hazard ont cru voir en Jurieu un penseur moderne, défenseur de la souveraineté de la nation. Rien n'est plus inexact. Si, comme l'a bien montré Le Roy Ladurie, Jurieu eut des côtés de prophète prêchant l'apocalypse, ce fut dans la lignée des grands millénaristes du Moyen Age. Son message proprement politique est très pauvre. Il rappelle le contrat initial entre le roi et le peuple, admet que le peuple peut se déssaisir de sa souveraineté et la livrer entièrement au pouvoir absolu, et reprend la vieille distinction bodinienne entre pouvoir absolu et pouvoir arbitraire : « Quant à nous, en reconnaissant la puissance absolue comme légitime, nous soutenons que la puissance sans bornes est contre toute sorte de lois divines et humaines. Le pouvoir absolu, c'est quand toute la souveraineté sans partage est réunie dans un seul; mais il n'y a aucune souveraineté qui n'ait ses bornes. » Jurieu, on le voit, n'apporte aucune idée nouvelle à la critique politique.

• Bien plus intéressant est un pamphlet anonyme, publié en 1689 sous le titre « *Les Soupirs de la France esclave* ». On l'a parfois attribué à Jurieu, mais je n'y retrouve ni le même ton ni le même vocabulaire que dans les Pastorales. Pamphlet très violent où le « despotisme » louis-quatorzien était impitoyablement dénoncé. En quoi consistait cette « puissance despotique » ? D'abord dans l'altération des anciennes règles coutumières : il faut « ramener le gouvernement du royaume à son ancienne forme ». Nous retrouvons là cet appel au passé qui fut l'axe fondamental de la critique politique. Plus précisément Louis XIV était accusé d'avoir violé le droit de propriété de ses sujets, et donc de s'être conduit comme les despotes orientaux. « Le gouvernement de France est monté à cet excès de tyrannie qu'aujourd'hui le Prince regarde tout comme lui appartenant en propre... comme les Princes Mahométans de Turquie, de Perse et du Mogol.... » Cette monarchie tyrannique a cessé d'être chrétienne : « Ce pouvoir despotique est si opposé à la raison qu'on peut l'appeler *brutal* et *inhumain*, si opposé même à l'esprit du christianisme qu'on peut l'appeler antichrétien. » Mais l'idée, fondamentale et novatrice de ce pamphlet est que le despotisme est lié au *nivellement social*. Le grand reproche adressé à Richelieu et à Louis XIV est d'avoir abaissé les Grands et gouverné avec le « peuple ». « A la place des Anciens Nobles, il vient de nouveaux nobles qui tiennent leur origine de la faveur de la cour et des finances. Ces gens achètent et possèdent toutes les plus belles terres du Roïaume et exercent sur les anciens gentilshommes une espèce de pouvoir despotique. » « Dans le gouvernement présent, tout est Peuple. On ne sçait plus ce que c'est que qualité, distinction, mérite, naissance. » Thème capital, qui va se développer à la fin du XVIIᵉ siècle, et sous-tend une exigence politique audacieuse : que la noblesse fût associée *nécessairement* à l'exercice du gouvernement. En apparence rétrograde — n'était-ce pas revenir au XIVᵉ siècle ? — cette revendication était formidablement novatrice : elle brisait le mythe de l'indépendance de l'État par rapport à la société. Mais ici nous rejoignons l'opposition aristocratique.

II. — L'OPPOSITION ARISTOCRATIQUE

Un centre politique très original se constitua entre 1711 et 1712 autour du duc de Bourgogne, petit-fils de Louis XIV, devenu dauphin après la mort de son père (avril 1711) mais rapidement emporté par la maladie (février 1712). Autour de lui, un noyau politique préparait l'« après louis-quatorzisme ». Trois personnages de premier plan y figuraient. Fénelon, ancien précepteur du dauphin, exilé dans son diocèse de Cambrai depuis 1699, le duc de Beauvillier, gendre de Colbert et ministre d'état depuis 1691, le duc de Chevreuse qui recevait en secret Fénelon dans son château de Chaulnes en Picardie : ce fut là qu'en octobre 1711 les trois amis rédigèrent une sorte de programme de gouvernement qui devait être soumis au dauphin : les « *Tables de Chaulnes.* » Un peu en marge de ce groupe, Saint-Simon rédigera en 1715 sous le titre : « *Projets de gouvernement résolus par M. le Duc de Bourgogne* », les conseils qu'il avait donnés au dauphin.

Outre la référence constante aux valeurs du christianisme, on trouve chez ces grands seigneurs un *recours systématique à l'Histoire.* C'est une donnée capitale de l'ambiance intellectuelle de la fin du XVIIᵉ siècle que cette interrogation passionnée de l'histoire de France pour y chercher les éléments d'une réponse politique. Sans doute, on l'a vu, l'histoire n'avait-elle jamais été absente des tentatives de reconstruction théorique (15). Sans doute l'histoire officielle continuait-elle, en cette fin du siècle, à être rhétorique, dogmatique, poussié-reuse, suscitant ce que Hazard a baptisé le pyrrhonisme historique. Mais en marge de ces grandes synthèses académiques, tout un travail d'érudition s'accomplissait qui répondait à un puissant besoin intellectuel et politique. En 1677, Baluze publiait les « *Capitulaires* » des deux premières dynasties (Mérovingiens et Carolingiens), dans lesquels le consentement du peuple aux décisions des souverains était plusieurs fois mentionné. En 1688, Du Cange écrivait sa « *Quatrième dissertation sur l'histoire de Saint Louis* » où l'accent mis sur les pouvoirs des anciennes assemblées. Plus tard (1718) Piganiol de la Force résumera, dans sa « *Description de la France* », l'histoire des assemblées nationales. Significatif également fut le programme que se fixa l'Académie privée qui se réunit au Luxembourg en 1692 : l'histoire des États Généraux, des Parlements, l'origine des ducs, de la noblesse de robe, des intendants, les progrès des communes. Fénelon lui-même soumit à l'Académie Française, en 1712, un projet d'enquête historique sur l'évolution des assemblées et des parlements (16). Il est facile de comprendre que cette curiosité historique n'avait rien de désintéressé : elle répondait aux inquiétudes politiques éveillées par le crépuscule du règne de Louis XIV. Au nom de l'histoire vont être proposés, d'abord implicitement, d'autres modèles de gouvernement.

La pensée de Fénelon a suscité les interprétations les plus diverses. On voyait jadis en lui un ancêtre du libéralisme. A l'inverse R. Mousnier dépiste dans ce prélat un « féodal ranci » (17), un réactionnaire dont l'idéal était « un régime qui a failli se constituer aux XIVe et XVe siècles ». C'est méconnaître, selon moi, une évidence fondamentale : le libéralisme *se confondit nécessairement, à ce stade du développement historique, avec l'idéal aristocratique*. Le projet de Fénelon était libéral parce qu'il était aristocratique. D'après les « Tables de Chaulnes » le pouvoir du roi devait être limité par des États Généraux réunis tous les trois ans, dont la composition — indépendante de la monarchie — favoriserait la noblesse et les notables. Au centre du système, le Roi devrait s'entourer d'un Grand Conseil. On réservait à la noblesse une place déterminante dans les rouages administratifs et judiciaires. Qui ne voit la modernité profonde d'une pensée qui annonce Montesquieu et Tocqueville! La hiérarchie des ordres était le seul rempart à opposer à l'absolutisme. La finalité que Fénelon assignait au gouvernement de Salente, le bonheur non plus collectif mais individuel, avait également une résonance très moderne.

Chez Saint-Simon plus encore que chez Fénelon, le recours à l'histoire est systématique. Il a beaucoup emprunté à un ouvrage qui ne sera publié que bien plus tard (1749) : l'*Histoire de la Pairie* de l'abbé Le Laboureur. Chargé par les ducs et pairs d'une enquête sur leurs origines, Le Laboureur articulait sa démonstration historique autour de trois thèmes qui allaient connaître au XVIIIe siècle un développement prodigieux. 1. Aux origines de la monarchie, il y a la conquête franque : sur les Gaulois vaincus et condamnés à la servitude (ancêtres du Tiers État) s'établit le gouvernement de la nation conquérante, les Francs, c'est-à-dire les nobles, qui partageaient le pouvoir avec le roi. Cette idée de la conquête et de l'origine ethnique de la différenciation des ordres n'était certes pas nouvelle. Mais ce fut alors seulement (fin du XVIIe) qu'elle devint le fondement essentiel d'un système politique. 2. Entre l'égalité nobiliaire des temps mérovingiens et la noblesse du XVIIe siècle s'était interposé, selon Le Laboureur, le système féodal. Les nobles cessèrent d'être tous des pairs. Seuls les grands barons du conseil du Roi partagèrent avec le souverain l'exercice du gouvernement. 3. Les ducs et pairs de France, héritiers des grands barons, étaient les conseillers-nés du Roi. De ces prémisses historiques, Saint-Simon ne tira pas des conséquences révolutionnaires. Plus réticent que Fénelon à l'égard des États Généraux, plus respectueux du cadre traditionnel de la monarchie de droit divin, il se contentait de réclamer pour la haute noblesse des responsabilités politiques.

Mais ce qui importe dans ce courant aristocratique, c'est que pour la première fois, à travers ces prudences, se trouve esquissée une critique réelle du système absolutiste. Fortement appuyée sur l'Histoire, liée à un milieu social influent, cette critique visait à opposer un rempart de libertés (et les privilèges étaient des libertés) aux pratiques monarchiques. Ces ducs et pairs furent sans doute les premiers grands révolutionnaires.

III. — Les attaques contre le mercantilisme

A la même époque se constituait un *groupe de pression*, composé de négociants et de financiers, qui s'attaqua indirectement à un aspect essentiel de l'absolutisme : la politique économique mercantiliste. Sans doute peut-il sembler abusif de situer dans la critique du système un mouvement d'opinion qui ne visait nullement la forme politique du gouvernement. Mais, comme l'a fort bien montré Rothkrug (18), il y a une convergence remarquable entre l'opposition aristocratique et l'opposition marchande. Le simple fait d'obliger l'État à entendre leur voix, la revendication de la liberté économique, la critique impitoyable du colbertisme étaient les symptômes révolutionnaires d'une mutation fondamentale : désormais les grands marchands et les banquiers avaient conquis leur maturité.

Dès 1692, Belesbat (qui appartenait à la famille célèbre des Hurault de l'Hôpital) soumettait au roi des « mémoires » sur le commerce, dont le thème essentiel était l'appel à la liberté : « Il faut poser ce principe que la liberté est l'âme du commerce, que sans elle les bons ports, les grandes rivières et la grande fertilité sont inutiles. Quand la liberté manque, tout y manque. » Contre l'ostracisme colbertien à l'égard des commerçants étrangers, Belesbat défendait les intérêts supérieurs du commerce : « On peut objecter qu'en donnant tant de protection aux étrangers, ils feront tout le commerce même à l'exclusion des sujets. Tant mieux, quand cela serait, puisque pour faire un grand commerce dans un pays, il faut ou y demeurer ou y tenir des facteurs. » Enrichis par la guerre de la Ligue d'Augsbourg, les négociants imposèrent à la monarchie la création, en 1700, d'un nouveau Conseil général du commerce. Ils profitèrent de ce succès pour exprimer, dans de nombreux mémoires, leurs revendications : non plus d'humbles doléances, mais des exigences hautaines. Tout était remis en cause : le système d'imposition, les compagnies pourvues d'un monopole, les manufactures d'État. Le dogme colbertien de l'autarcie française était balayé en ces termes par le représentant des intérêts lyonnais : « Il faut revenir de la maxime de M. Colbert qui prétendait que la France pouvait se passer de tout le monde. C'était aller contre la nature et les décrets de la Providence qui a distribué ses dons à chaque peuple pour les obliger à entretenir entre eux un commerce réciproque. Ce ne serait plus un commerce que de fournir nos denrées et nos manufactures aux étrangers et de ne tirer d'eux que de l'argent. » Peu importe que ces plaintes n'aient pas abouti à des réformes. Ces réseaux semi-officialisés de négociants et de financiers, dont les liens avec le commerce international étaient serrés, notamment chez les protestants superficiellement convertis (19), étaient devenus une puissance.

Ils me paraissent plus importants, je dois le souligner, que les critiques du système fiscal élaborées par Vauban et Boisguilbert. On sait que le premier publia secrètement sa « *Dîme Royale* » en 1707, que le livre fut immédiatement saisi et mis au pilon, et que l'auteur mourut en disgrâce. On sait aussi que Boisguilbert, lieutenant général du bailliage de Rouen, dut faire imprimer clandestinement son « *Factum de la France* » (1707). Plus que Vauban — dont les idées fiscales apparaissent comme singulièrement archaïques — Boisguilbert est un penseur économique extraordinairement moderne : on trouve chez lui une théorie de la consommation de masse que ne désavoueraient pas les plus éclairés de nos contemporains. Mais ces isolés ne s'en prennent qu'à un avatar du système : la fiscalité indirecte. Juste quant au raisonnement économique, leur critique était à contre-courant des nécessités politiques : ce fut sans doute grâce à cette ponction indirecte que la monarchie du XVIIIᵉ siècle dut de ne pas connaître les séditions armées qu'avait rencontrées la monarchie du XVIIᵉ.

IV. — LES DÉBATS SUR L'HISTOIRE DE FRANCE

Jusqu'en 1750 — année où les mesures financières de Machault d'Arnouville suscitèrent une résistance générale des Parlements et des États Provinciaux — la contestation politique se cantonna dans l'enceinte du Parlement de Paris et se mobilisa autour des mots d'ordre du second jansénisme. Après les grands seigneurs et les négociants, les hauts robins de la capitale, renouant quant à eux avec une tradition obscurcie, entrèrent en lice. Au-delà des péripéties, il faut rechercher les appuis théoriques d'une critique souvent secrète et clandestine, circulant sous forme de manuscrits et de copies.

Obsession de l'Histoire de France : le problème de la conquête franque était au centre des débats. Deux grandes tendances s'affrontèrent, comme l'a bien prouvé Carcassonne (20), la tendance « germaniste » et la tendance « romaniste ». La première fut traduite en un système très cohérent par le comte de Boulainvilliers. Bien qu'il ait appartenu à une génération antérieure (il mourut en 1722), Boulainvilliers ne fut connut qu'après sa mort : son « *État de la France* » (paru à Londres en 1727-1728) et son « *Histoire de l'Ancien Gouvernement de la France* » (Amsterdam 1727), passionnèrent l'opinion. Il utilisa systématiquement les matériaux statistiques que lui offrait son temps, notamment les « Mémoires des Intendants » qui avaient répondu à la grande enquête lancée en 1698 par le duc de Beauvillier. Élargissant considérablement les thèses de Le Laboureur et de Saint-Simon, Boulainvilliers tirait de la conquête franque des leçons plus vastes : inégalité complète entre vainqueurs et vaincus (donc : entre noblesse et tiers état), égalité essentielle entre vainqueurs (donc : parmi la noblesse), usurpation conjointe (avec la dynastie capétienne) de la monarchie et du tiers état des privilèges de la noblesse. Les conclusions politiques sont plus prudentes. Devant tenir compte des aspects irréversibles de cette évolution, Boulainvilliers admettait la présence des représentants du tiers état dans les assemblées, tout en réservant à la seule noblesse les grandes charges. L'essentiel, pour lui, était la liberté. La monarchie absolue était grosse du péril égalitaire : en détruisant les privilèges, elle supprimait tout obstacle entre le Prince et les sujets. Au contraire, le système féodal, en émiettant le pouvoir, avait renforcé les moyens de défense des libertés individuelles. Allant beaucoup plus loin que Saint-Simon ou Fénelon, Boulainvilliers ne se contentait plus d'un monarque absolu entouré de conseils aristocratiques : son idéal était un gouvernement libéral et nobiliaire.

Cette reconstitution historique suscita des réponses. Le fait nouveau — et important — fut que les défenseurs de l'absolutisme se crurent obligés, eux aussi, de tirer leurs arguments de l'arsenal médiéval. Dans son « *Histoire critique de l'Établissement de la Monarchie française* » (1704), l'abbé Dubos substitua à la thèse de la conquête celle d'une alliance antérieure entre Francs et Gallo-romains, alliance changée en domination par le vœu même des populations gauloises. Protecteur des uns et des autres, Clovis réalisa cette union. Deux conclusions politiques se dégageaient de cette analyse. Les Francs n'ayant jamais été qu'une simple minorité ethnique rapidement fondue dans la masse gallo-romaine, aucune justification historique ne légitimait plus la différence entre noblesse et tiers état. Les Francs n'ayant jamais partagé avec Clovis le gouvernement, l'absolutisme existait dès l'origine. Reprises par d'Argenson (« *Considérations sur le gouvernement ancien et présent de la France* », 1737), ces idées préparent un double clivage. Clivage le plus apparent : entre les libéraux (aristocratiques) et les absolutistes. Clivage momentanément enfoui, mais qui va surgir : entre un libéralisme strictement nobiliaire, fondé sur la race et le privilège, et un libéralisme ouvert à toute forme de notabilité.

Il peut sembler paradoxal qu'en France le temps des ouvertures ait été surtout celui d'une ouverture vers le passé. Si la France n'a pas eu un Spinoza ou un Locke, ce n'est sans doute pas sans raisons. Le climat intellectuel d'un pays dominé par la cour de Versailles, assombri par la guerre perpétuelle, la misère, les disettes et les famines, n'était pas celui de la Hollande libérale ni de l'Angleterre des deux révolutions. La « raison » cartésienne, diffusée par un Malebranche, véhiculée par ces enfants damnés du modernisme qu'ont toujours été les Jésuites, pouvait inquiéter les plus lucides défenseurs du système : elle n'offrait pas, dans l'immédiat, une plate-forme cohérente aux oppositions. Ce fut grâce à l'Histoire, aux légitimations qu'elle offrait, que les couches supérieures de la société commencèrent, non sans timidité, à s'interroger sur la validité du régime.

3

LE TEMPS DES LUMIÈRES
(1750-1787)

Chronologie oblige : autour de 1750, sans qu'aucune rupture n'intervienne dans l'ordre politique, tout bascule. 1748 : c'est la parution de l'« *Esprit des Lois* ». 1749 : Diderot publie sa « *Lettre sur les aveugles* » et la Sorbonne condamne les théories de Buffon sur l'origine de la terre. 1750 : le « *Discours sur les Sciences et les Arts* » de Rousseau, la mise à l'index du maître ouvrage de Montesquieu.

La période qui s'ouvre ainsi, avec les accents triomphants d'un concerto de Bach, diffère si profondément de celles qui nous ont retenus, qu'il est indispensable d'en fixer, même grossièrement, les traits dominants. J'en retiendrai quatre.

• Pour la première fois les *idées précèdent les faits*. Nous avons suivi, jusqu'à maintenant, des protestations en quête de doctrine, des mécontentements qui ne parvenaient à sortir des schémas absolutistes que sous la forme de nostalgies, d'utopies ou de fragiles lueurs. Après 1750 se constitue un corps cohérent de critiques et de contre-propositions telles que, quand les notables amorcent, en 1787, leur grand mouvement réformateur, ils sont armés d'un modèle théorique extraordinairement efficace. Non que la Révolution française soit sortie du mouvement philosophique comme Athéna de la tête de Zeus : le XVIIIe siècle a prévu des fins, non des moyens. Les modalités de la période révolutionnaire ont totalement échappé à ses pronostics.

• Pour la première fois les *conceptions traditionnelles sont sur la défensive*. La doctrine absolutiste trouvera bien, jusqu'en 1789, des apologistes non dénués de talent. Les défenseurs du régime rappelleront, non sans courage, à leurs adversaires qu'ils s'illusionnaient sur eux-mêmes en se posant pour des conservateurs alors qu'ils étaient, au sens profond du terme, des novateurs et des révolutionnaires. Mais précisément ils ne font plus que défendre et se défendre. Ils empruntent aux théoriciens du camp opposé leur vocabulaire, leurs références, leur moule conceptuel en s'efforçant de désamorcer leur charge explosive.

• Pour la première fois, il y a *convergence des coups portés*. Insistons fortement sur ce point, parce qu'il impose de nous débarrasser des problématiques traditionnelles et de suggérer une nouvelle grille d'interprétation. Problématique tirée de la vieille histoire des « idées politiques » : la trop fameuse distinction entre un courant aristocratique et libéral, un courant utilitariste et bourgeois, un courant démocratique et plébéien (21). Ce placage arbitraire de données intellectuelles gauchies sur une sociologie totalement inventée laisse échapper l'essentiel : le *libéralisme*, quelles qu'en soient les formulations, se retrouve partout comme le noyau fondamental. Ce qu'on détestait en commun était plus fort que la différence des véhicules par où passait l'espérance. Problématique tirée d'un sociologisme simpliste, d'une caricature positiviste du marxisme (22) : la prétendue opposition entre une bourgeoisie « montante » et une noblesse « déclinante ». En réalité, comme l'a démontré A. Dupront (23), il y eut un modèle commun à la Société des Lumières — en politique comme en littérature, en peinture ou en musique — et la noblesse urbanisée y joua un rôle incitateur. Ce que je voudrais suggérer, c'est l'existence, dans les élites, d'un *double front politico-culturel*. Contre l'absolutisme et ses agents — n'oublions pas qu'ils sont de plus en plus nombreux — se mobilisent à la fois les espérances des bénéficiaires éclairés (haute noblesse de la Cour et de Paris, milieux financiers, grands robins) et les frustrations des exclus de la participation (24) : nobles de province, évincés des hautes charges de l'armée, officiers fraîchement anoblis. Ce front commun n'exclut pas un antagonisme latent qui va apparaître au grand jour après 1787 : pour les premiers l'élite doit s'ouvrir à la richesse et au talent, pour les seconds elle doit se cramponner au privilège de la naissance (25).

• Il faut enfin souligner, avec Pierre Chaunu, l'*effet* « *multiplicateur* » *des Lumières*. Le front de l'acculturation descend en profondeur : le nombre de ceux qui savent lire se multiplie sans doute par quatre au cours du XVIIIe siècle. L'enseignement élémentaire poursuit ses progrès, l'enseignement secondaire est littéralement engorgé (26). Que faire de cette micro-intelligentsia, comment insérer ces voyageurs du bout de la nuit passés brutalement de l'oral à l'écrit, de l'inconscient au conscient, dans une société en fermentation ? La Révolution française ne résoudra pas ces problèmes, mais elle les révélera.

Trois thèmes nous retiendron successivement : la critique de régime par la pensée des Lumières, l'impact de cette critique sur les luttes politiques, les réactions de la monarchie.

I. — AUTOUR DE « L'ESPRIT DES LOIS »

L'œuvre qui a le plus marqué en profondeur la pensée politique du XVIIIe siècle fut l'« Esprit des Lois ». Sans pouvoir insister ici sur la modernité de l'objet et de la méthode (27) de cette enquête, il nous faut reprendre la typologie des gouvernements présentée par Montesquieu : aspect le plus célèbre mais non le mieux connu de son œuvre. Il distingue, on le sait, trois types de gouvernements : la république, la monarchie, et le despotisme. Chacun de ces types se définit par deux éléments : sa *nature*, et son *principe*. La nature d'un gouvernement « est ce qui le fait être tel », sa structure (qui détient la souveraineté ? Comment s'exerce-t-elle ?). « Je suppose trois définitions ou plutôt trois faits : l'un que le gouvernement républicain est celui où le peuple en corps ou seulement une partie du peuple a la souveraine puissance ; le monarchique celui où un seul gouverne, mais par des lois fixes et établies ; au lieu que dans le despotisme un seul, sans loi et sans règle, entraîne tout par sa volonté et par ses caprices. » Cette première définition est plus complexe qu'il ne paraît au premier abord. Dès le départ, il existe non une ligne de clivage unique entre trois types de gouvernements totalement distincts, mais mélange de deux variables qui rentrent inégalement dans la composition de chaque type. Première variable : qui détient la souveraineté ?

Soit le peuple tout entier, soit une partie du peuple, soit un seul. Dans les deux premiers cas nous avons la république, mais sous deux formes différentes (démocratique et aristocratique). Dans le dernier cas nous pouvons avoir deux gouvernements : monarchie ou despotisme. C'est ici qu'intervient la deuxième variable : le mode d'exercice de la souveraineté. Quant au *principe* de chaque gouvernement, c'est le ressort moral, « les passions humaines qui le font mouvoir » : la vertu dans une république, l'honneur dans une monarchie, c'est-à-dire « le préjugé de chaque personne et de chaque condition ».

Cette typologie peut sembler bien traditionnelle. La distinction entre monarchie et despotisme ne se rattache-t-elle pas à celle que Bodin (28) avait emprunté à Aristote en opposant monarchie royale et monarchie seigneuriale ? L'originalité profonde de Montesquieu s'affirme sur trois plans.

• Sa typologie est *historique* et non abstraite. Jusqu'à lui, démocratie et aristocratie étaient toujours distinguées, alors que monarchie et despotisme étaient considérées comme deux modèles différents d'une même essence : le gouvernement d'un seul. Pourquoi Montesquieu rompt-il ici avec la tradition ? Il a conscience qu'on a toujours discuté en fonction des catégories d'Aristote, élaborées à partir d'une expérience historiquement limitée, celle de la cité grecque. Aristote n'avait pu connaître ce que Montesquieu appelle la monarchie, qui n'a été réalisée que dans l'Europe issue des invasions barbares.

• Pour la première fois sont situées au cœur de l'analyse *les inter-relations entre régime politique et structure sociale*. Althusser a raison de souligner l'unité dialectique qui unit *nature* et *principe* : ce ne sont pas deux concepts séparés, mais les pôles d'une relation à la fois nécessaire et vivante. Prenons la monarchie et son principe, l'honneur. Montesquieu écrit : « Les pouvoirs intermédiaires subordonnés et dépendants constituent la nature du gouvernement monarchique, c'est-à-dire de celui où un seul gouverne par des lois fondamentales... Ces lois fondamentales supposent nécessairement des canaux moyens par où coule la puissance... Le pouvoir intermédiaire est celui de la noblesse. *Elle entre en quelque sorte dans l'essence de la monarchie*, dont la maxime fondamentale est : point de monarque point de noblesse, point de noblesse point de monarque. » Malgré la prudence des formulations, c'était une analyse *révolutionnaire*. En faisant des corps intermédiaires une composante essentielle de la constitution monarchique, Montesquieu franchissait un pas décisif.

• Cette typologie débouche sur une conception *dynamique* de la vie politique. Au lieu de considérer ces types de gouvernement comme des essences étrangères l'une à l'autre (et on a vu comme il fut reproché à Louis XIV d'avoir « confondu » monarchie et despotisme), Montesquieu montre que tout gouvernement est sujet à dégénérer. « Les fleuves vont se mêler dans la mer; les monarchies vont se perdre dans le despotisme. » Ici encore l'analyse est révolutionnaire : les garanties contre le despotisme cessent d'être une exigence pieuse ou une revendication rageuse, mais une nécessité. Si la monarchie est sollicitée de dégénérer, il faut l'en empêcher.

On a beaucoup discuté des préférences politico-sociales de Montesquieu. Trois traits doivent être soulignés. La condamnation du despotisme est chez lui constante et fondamentale : ce n'est pas pour lui un régime comparable aux deux autres, c'est l'anti-gouvernement issu de la perversion des deux autres. A l'égard de ceux-ci, il n'a pas marqué de préférence particulière. A ses yeux, la forme du régime était moins importante que l'existence de contrepoids comme fondement des libertés. Un refus fondamental de toute souveraineté absolue. Tout ce qui peut limiter, modérer le pouvoir est bon. C'est là que réside le véritable libéralisme, la grande nouveauté du XVIIIe siècle. On a beaucoup dit que l'idéal aristocratique de Montesquieu, l'insistance mise sur le rôle des corps intermédiaires aurait rendu son influence « réactionnaire » dans les luttes politiques du XVIIIe siècle. C'est, selon moi, un contre sens absolu. Ce qui comptait pour lui, ce n'étaient pas les justices féodales, c'était la nécessité d'une élite comme rempart des libertés.

— Jusqu'en 1789, l'« *Esprit des Lois* » fut du reste au centre de toutes les discussions théoriques sur la constitution, de tous les débats sur le despotisme, la monarchie et les corps intermédiaires. On ne peut, après l'excellent livre d'Élie Carcassonne (29), qu'en indiquer sommairement les grandes lignes. Mettons à part les Physiocrates, ces maladroits de génie, dont l'apologie du despotisme légal — fondé sur l'évidence — fut considérée par beaucoup, y compris par Turgot, comme une faute. Mettons à part également les réactions des théoriciens de l'absolutisme : certains, comme Gin (auteur des « Vrais principes du gouvernement français », 1777), tentèrent de s'appuyer sur Montesquieu pour défendre la monarchie absolue, mais la plupart le critiquèrent. Dans le courant majoritaire, celui des Lumières, deux attitudes apparurent. Les uns — particulièrement dans les Parlements — plus fidèles à la lettre qu'à l'esprit de Montesquieu, utilisèrent la distinction entre monarchie et despotisme pour critiquer de façon de plus en plus âpre le régime. D'autres, plus nombreux, la refusaient. Voltaire écrivait à Gin : « Je commence par vous avouer que *despotique* et *monarchique* sont tout juste la même chose dans le cœur de tous les hommes et de tous les êtres sensibles. » Chez tous, l'exigence fondamentale était de voir les élites — de la naissance, de la richesse et du talent — contrôler le pouvoir. Même ceux qui, comme D'Holbach, détestaient tous les corps privilégiés et voyaient en eux les vestiges d'un passé barbare, considéraient que les Parlements pouvaient, en l'absence d'une autre représentation, « être le rempart toujours nécessaire entre l'Autorité suprême et la liberté des sujets ». Même position chez Mably : mais celui-ci légitimait son attitude en se fondant sur la thèse germaniste de la conquête franque et en élargissant le bénéfice de la démocratie nobiliaire à l'ensemble de la nation. Seul Rousseau, dont la pensée politique est loin d'être élucidée, apparaît comme un génie isolé, à contre-courant de son siècle. Ce fut moins, du reste, sur le terrain de l'égalité que sur celui de la *souveraineté* qu'il s'opposa au libéralisme de son temps.

Plus on approche de 1787, plus ces courants se font critiques. L'inflation de l'emploi de « despote » et « de despotisme » dans les écrits et les discours, le thème de l'absence d'une véritable constitution, comptent plus encore que les critiques de détail. L'élite pensante ne s'accommode plus d'un régime qu'elle ressent comme ancien et vermoulu. C'est la Révolution.

II. — L'OPPOSITION PARLEMENTAIRE

Quel fut l'impact de cette critique théorique sur les luttes politiques de la seconde moitié du XVIIIe siècle ? Il s'agit moins pour nous de retracer ces luttes (30) que de suivre, à travers elles, les progrès des idées nouvelles. On sait que, de 1752 à 1770, l'agitation des Parlements fut pratiquement incessante : d'abord contre l'anti-jansénisme de l'épiscopat, puis contre les Jésuites, enfin et surtout à propos de l'affaire La Chalotais et du Parlement de Bretagne (1763-1770). Progressivement les Parlementaires élaborèrent une doctrine que Montesquieu aurait été le premier à condamner : ils prétendaient s'appuyer sur lui, mais en trahissant sa pensée. Le grand idéologue de l'opposition parlementaire fut l'avocat Le Paige qui publia en 1753 ses « *Lettres Historiques sur les fonctions essentielles des Parlements* ». Selon lui, le Parlement est l'héritier des assemblées législatives des deux premières races; l'enregistrement des lois n'est donc pas une simple formalité mais un principe constitutionnel. Une loi enregistrée à la suite d'un lit de justice (31) « n'est point reconnue dans l'État pour une loi ». Dans les années suivantes, le vocabulaire dont usaient les parlementaires dans leurs remontrances évolua. Jusqu'en 1760 les expressions dominantes étaient : « monarchie légitime », « lois fondamentales », « dépôt des lois », « corps intermédiaires ». Après 1760, les mots « droit », « nation », « constitution », traduisirent une revendication précise : le contrôle des lois et des impôts. Significatives, ces remontrances du Parlement de Paris en décembre 1763 : « En matière d'imposition, Sire, l'infraction du droit sacré de la vérification blesse tout à la fois et les droits de la Nation et les droits de la législation; il s'ensuit que l'exécution d'une imposition non vérifiée est une voie de fait qui attente à la Constitution du Gouvernement français. »

En même temps pour justifier la solidarité des différents Parlements se développa dès 1756 la théorie de l'« *union des classes* » : chaque Parlement est séparé en ce qui concerne la justice à rendre aux particuliers, mais en ce qui concerne les fonctions politiques les diverses cours ne sont que les classes d'un seul et même Parlement, héritier des anciennes assemblées législatives. Ce fut au nom de cette théorie que, pendant l'affaire La Chalotais, le Parlement de Paris se solidaris aavec le Parlement de Bretagne. Ce fut cette prétention que Louis XV refusa avec hauteur lors de la séance de la flagellation (3 mars 1766) (32).

La logique de ces exigences conduisit les Parlements à réclamer des États Généraux. Dès 1760, celui de Rouen évoquait avec nostalgie les anciens États. Parlant du droit du peuple à consentir à la loi, il ajoutait : « Exercé pendant l'interstice des États par ceux que la Nation regarde comme dépositaires de la législation, ce droit sacré et imprescriptible ne sçauroit l'être que par eux. » Ainsi les Parlements en vinrent-ils à se considérer comme les dépositaires temporaires d'un contrôle qui n'appartenait qu'aux États Généraux. Le Parlement de Rennes alla plus loin encore en août 1764 en affirmant que tout impôt devait être soumis au consentement des États.

Cette opposition parlementaire a été souvent interprétée par l'historiographie (33) comme une tentative rétrograde. Les Parlementaires auraient défendu des intérêts corporatifs mesquins, des privilèges surannés, contre une monarchie éclairée. Ce n'est que partiellement vrai. Jean Egret a montré qu'ils défendaient souvent d'autres intérêts que les leurs et qu'ils participaient à un mouvement d'opinion général. Plus profondément je crois que l'attitude de D'Holbach et de Mably éclaire le problème : c'était l'absence de tout autre corps vraiment représentatif qui faisait des Parlements une nécessité. Au fond c'était une représentation de substitution. Comme l'a écrit Edgar Faure, en l'absence d'une véritable soupape politique « se noue entre une masse sans mandataires et une représentation sans mandat une sorte de contrat précaire, où chacun n'est qu'à moitié dupe; pour l'instant un contrat de désordre; à terme un contrat de révolution » (34). L'opinion n'acceptait plus un pouvoir sans consultation ni contrôle.

— On le vit bien, du reste, lors du « *coup d'état Maupeou* ». On sait que, pour briser l'opposition parlementaire, le chancelier Maupeou, soutenu par Louis XV promulgua le 23 février 1771 un édit qui réformait profondément l'organisation judiciaire et politique. Cet édit érigeait dans le ressort du Parlement de Paris six Conseils supérieurs dont les membres seraient révocables. Maupeou annonçait son intention d'abolir dans tout le royaume la vénalité et l'hérédité des charges. Bien entendu, ce « coup d'état » et l'exil d'une centaine de magistrats parisiens provoquèrent une levée de boucliers. Les idées se firent plus hardies. Le Parlement de Toulouse parla du « renversement de la constitution française ». On voyait se réaliser le péril annoncé par Montesquieu : la monarchie dégénérant en despotisme. Au nom de la Cour des Aides, Malesherbes réclamait les États Généraux : « Interrogez donc, Sire, la Nation elle-même, puisqu'il n'y a plus qu'elle qui puisse être écoutée de Votre Majesté. » Notion capitale, qui apparaît dans de nombreux textes : la cause des Parlements est subordonnée à celle de la nation. C'est pourquoi l'opinion, en dépit de certaines assertions (35), fut défavorable à la réforme Maupeou. Sauf Voltaire — qui détestait l'intolérance des anciens magistrats — les philosophes prirent parti pour le Parlement ou se turent. Même attitude chez un futur ministre réformateur comme Turgot ou un futur leader du parti « national » en 89 comme Target. Myopie politique ? Non pas, mais conscience de la nécessité d'un corps représentatif.

Ce fut sans doute la raison pour laquelle Louis XVI, à son avènement (1774) renvoya Maupeou et rappela l'ancien Parlement de Paris. Les historiens se sont souvent interrogés sur cette décision, ont « blâmé » Louis XVI (36), et indiqué quelles conséquences fatales pour la monarchie découlèrent de ce geste. Que le Parlement en ait profité pour reprendre sa guerre de harcèlement, pour faire échouer les expériences réformatrices de Turgot (1774-1776) et de Necker (1778-1781), c'est certain. Mais le problème est plus profond : pouvait-on éviter le rappel du Parlement si on ne créait pas une nouvelle assemblée représentative ? L'opinion permettait-elle encore ce vide ? Tout indique le contraire.

III. — LA MONARCHIE FACE AUX LUMIÈRES

Les rois, du reste, Louis XV puis Louis XVI, n'eurent jamais les mains libres. Il y a une très grande naïveté chez beaucoup d'historiens qui découvrent près de deux cent ans après l'événement que la monarchie aurait pu faire l'économie de la Révolution : 1. en n'abdiquant rien de son autorité ; 2. en imposant aux « privilégiés » une réforme fiscale égalitaire ; 3. en liquidant autoritairement la résistance des Parlements. C'est oublier les *conditions* dans lesquelles se trouvait située l'action gouvernementale, les *problèmes* qu'eurent à résoudre Louis XV et ses ministres, les *contradictions* qui s'imposèrent à Louis XVI.

• Les conditions de l'action gouvernementale ont été souvent décrites à partir de faux problèmes : perméabilité de l'appareil d'État aux Lumières, c'est-à-dire aux courants réformateurs éclairés, pénétration de cet appareil par une « noblesse » a priori suspecte de motivations réactionnaires. Disons le d'entrée de jeu : la noblesse du XVIIIe siècle, fortement installée dans les cadres de l'état monarchique (37), mais atomisée et divisée, n'a jamais constitué ni un ordre ni une classe homogènes. Outre ses très puissantes divisions internes (on sait le combat malheureux mené par les nobles de province pour accéder aux hautes charges de l'armée (38)), la noblesse se partageait entre les trois courants principaux de l'opinion éclairée : le libéralisme conservateur, le libéralisme novateur, l'autoritarisme au service de l'État. Rien ne serait plus inexact que d'imaginer les deux derniers souverains absolus comme liés par des intérêts contraignants à « leur noblesse » ou à « leur clergé ». En tant que groupe, la noblesse n'a pas pesé, près du pouvoir, sur l'arbitrage monarchique. Elle a pesé, en des sens contradictoires, par la place qu'elle tenait dans les courants d'opinion opposés.

L'attitude de la monarchie a dépendu, en fait, de facteurs *structurels* et de facteurs *conjoncturels*. Facteurs structurels : la personnalité du souverain, l'entourage de la Cour, les groupes de pressions, le corps des hauts fonctionnaires. La Cour a été jusqu'à présent très peu et très mal étudiée : perméable jusqu'à un certain point aux idées nouvelles, elle avait trop d'avantages dans le maintien du « *statu quo ante* » pour ne pas redouter des mutations périlleuses; mais elle avait trop peu d'unité idéologique pour inspirer une politique nettement définie. Les groupes de pressions se constituèrent — ce qui est déroutant pour l'historien — moins en fonction d'intérêts fondamentaux ou de valeurs idéales nettement tranchées qu'à partir de coteries difficilement identifiables. Sans doute le « groupe dévot », protégé par les enfants de Louis XV, mettait-il la priorité à la défense de la religion traditionnelle : mais il laissa faire, à ses débuts, l'expérience Turgot. Quant au parti « choiseuliste », la cohorte des fidèles de l'exilé de Chanteloup, il était extraordinairement composite : des grands seigneurs un peu « snobs », des protecteurs des Parlements, des adversaires de toute réforme profonde. Seuls le culte de la personnalité et un certain mépris pour les soutanes les rassemblaient. Cette non-correspondance des réseaux officieux d'influence avec les grands clivages de l'heure fut à la fois le produit et le révélateur de l'archaïsme du système aulique. Beaucoup plus remarquable était le corps des hauts fonctionnaires (maîtres des requêtes, intendants, conseillers d'état) dont Calonne (39) sera, *in extremis*, le meilleur représentant. Unifié, quelles que soient leurs origines familiales, par le service de l'État, ce noyau vit d'un double souci : réaliser un état unitaire et moderne, imposer contre les parlements et les corps privilégiés l'autorité suprême de cet État. Mais leur compétence administrative et technique a sa rançon : la faiblesse de la sensibilité politique. Ils méprisent l'opinion, ils veulent sérier les problèmes. Le moment impose pourtant de prendre le pouls des élites et d'offrir des solutions globales. C'est ici que la conjoncture politique intervient. Jamais la monarchie, on l'a vu, n'eut l'initiative : sans cesse en décalage par rapport aux exigences de l'opinion, elle était toujours en retard d'une réforme. Ce qui était acceptable en 1771 devint intolérable en 1788 : l'enfant était désormais un homme.

Louis XV et ses ministres n'eurent encore à résoudre que des problèmes. Au niveau des bureaux ministériels et des administrations la pénétration des idées nouvelles — notamment sur le plan du libéralisme économique — fut évidente : les ouvrages de Méthivier et de Gaxotte en fournissent les preuves. Au plan des grandes décisions ministérielles, deux époques doivent être distinguées. Jusqu'en 1770, il y eut flottement dans tous les domaines. Louis XV commença par soutenir le réformateur Machault d'Arnouville, puis l'abandonna aux rancunes fiscales du clergé. Pendant douze ans, il laissa Choiseul gouverner empiriquement entre une opinion « philosophique » qu'il ne voulait pas s'aliéner et les groupes auliques de pression. Après 1770, le raidissement fut net. Louis XV soutint sans défaillance deux ministres de premier plan : Maupeou, qui brisa les résistances du Parlement, Terray qui rétablit l'équilibre financier. Mais à quel prix! Jamais ministère ne fut autant détesté, parce qu'il s'était aliéné l'opinion, et quand Louis XV mourut en 1774, il était devenu lui-même impopulaire comme aucun de ses ancêtres. On

comprend, du reste, les raisons — même mauvaises — de
ce désenchantement. Le roi ne tolérait pas la moindre
participation. Comme l'a montré Jean Egret, les audaces
verbales des Parlementaires le mettaient hors de lui.
Malesherbes pourra écrire, dans une lettre privée, en 1772 :
« Le Roi a un grand attachement pour le despotisme. »

• Quand Louis XVI succéda à son aïeul, il avait
conscience de sa jeunesse et de son absence de formation. « On ne m'a rien appris », se plaignait-il. Ce côté
un peu larmoyant a pu tromper contemporains et postérité : comme Louis XV, Louis XVI était profondément attaché à la prérogative royale. Plus sensible à
une opinion dont les exigences s'étaient accrues, bénéficiant en outre de l'impopularité de la fin du règne
précédent, il appela Turgot, puis, deux ans plus tard,
l'abandonna. On ne saurait, après Edgar Faure, revenir
sur cet échec, sinon pour en diagnostiquer les raisons
profondes. Faure observe à bon droit que, si Turgot
gardait la confiance d'une partie importante de l'opinion, surtout dans les provinces, c'était une opinion
diffuse qui ne comportait ni secteurs organisés ni
moyens de pressions. Je me demande s'il ne faut pas
aller plus loin. Les réformes de Turgot (notamment
la liberté du commerce des grains) mobilisèrent les
rancunes populaires (la « Guerre des Farines » de 1775
annonça les émeutes de subsistances de la période
révolutionnaire) et les inquiétudes de certains cercles
privilégiés (y compris à la Cour). Mais n'était-ce pas
une impossibilité majeure que de tenter une politique
réformiste *sans consulter d'abord la nation, c'est-à-dire
les propriétaires ?* On me dira que Turgot avait conçu
tout un plan d'assemblées hiérarchiques : mais ce
n'était qu'un plan ! Eut-il tort de « brusquer les choses »,
comme l'estime Faure ? Je serais plutôt enclin à une
conclusion inverse : peut-être en allumant un contre-
feu face à l'incendie déchaîné par les Parlements,
en opposant aux libéraux rétrogrades un libéralisme
politique (donc représentatif) de progrès, aurait-il pu
sauver son œuvre. Mais Louis XVI restait hostile à ces
formes de consultation. Il laissa sacrifier Necker, dont
pourtant la politique empirique n'avait de quoi mobiliser ni les haines ni les espérances. Les réformes ne
l'effrayaient pas, mais il vomissait toute forme permanente et organique de participation. En 1787-1788,
le réveil allait être brutal.

L'accent a été volontairement mis, en ces dernières pages, sur les convergences : ce qui unissait la Société des Lumières dans son assaut contre un système politique qu'elle ne tolérait plus. D'autres clivages, pourtant, existaient à l'état latent : ils vont émerger de 1787 à 1789 sans dissiper pour autant le refus commun d'une monarchie absolue de plus en plus assimilée au despotisme. Ces deux années qui virent à la fois naître et mourir l'Ancien Régime révèlent et cristallisent toutes les contradictions.

4

NAISSANCE ET MORT DE L'ANCIEN RÉGIME
(1787-1789)

La crise pré-révolutionnaire est trop souvent encore présentée de façon schématique et inexacte. Une crise financière oblige la monarchie à consulter les notables. Les « privilégiés » refusent l'égalité fiscale, en appellent aux États Généraux. Profitant de la brèche ainsi ouverte, la « bourgeoisie » entre dans la lutte et prépare la transformation de ces États Généraux en une véritable Assemblée nationale Constituante. Telles sont les lignes directrices d'un schéma qu'on retrouve, avec des variantes, dans de nombreux ouvrages (40). Les travaux remarquables de Jean Egret (41) nous permettent de réviser radicalement cette optique traditionnelle.

I. — CALONNE : LA FAILLITE DU RÉFORMISME AUTORITAIRE

On sait que Calonne, contrôleur des finances depuis 1783, en présence d'une situation financière catastrophique, mit au point en août 1786 tout un plan de réformes fiscales, économiques et administratives qu'il présenta à Louis XVI dans un mémoire. Les trois points essentiels de ce plan étaient : 1. l'établissement d'un impôt en nature levé sur tous les propriétaires fonciers et proportionnel à leurs revenus (c'était la « subvention territoriale » chère aux Physiocrates et à Turgot); 2. la liberté du commerce des grains; 3. une pyramide d'assemblées consultatives, recrutées parmi

les propriétaires sans distinction d'ordres. Calonne
incarnait parfaitement le corps des maîtres de requêtes,
des intendants et des conseillers d'état. Unitaire et
autoritaire, il n'aimait pas les Parlements ni tous les
vestiges institutionnels du passé. « Je ferai voir, écrivait-il, que la discordance, l'incohérence des différentes
parties du corps de la monarchie est le principal des
vices constitutionnels qui énervent ses forces et gênent
toute son organisation. » Aussi résolut-il de se passer
du Parlement de Paris et de soumettre son programme à
une *Assemblée de Notables* (144 personnes) qui se réunit
à Versailles en février 1787. Trois problèmes méritent
d'être posés : l'accueil de l'opinion, l'attitude des notables,
l'échec de Calonne.

  • La seule annonce de la réunion d'une Assemblée des
Notables suscita l'enthousiasme. Elle ravivait l'espoir
d'un système représentatif. De partout, on saluait dans
cette initiative la volonté royale de consulter la nation.
Renouant le fil des temps, on rapprochait cette Assemblée des anciens « champs de Mars » ou « champs de
Mai » carolingiens. Un chroniqueur écrivait : « La
grande nouvelle du jour est la convocation d'une assemblée nationale, qui produit dans le public la plus vive
sensation. On voit avec autant d'admiration que de
reconnaissance notre monarque appeler à lui la nation. »
Un « Préambule sur l'Assemblée des Notables » compa-
rait Louis XVI à Charlemagne. Ces contresens historiques (dans le passé, des assemblées de notables (42)
n'avaient jamais été que des conseils élargis) montrent
à quel point l'opinion avait soif de représentation.

  • L'opposition des notables aux projets de Calonne
est trop souvent attribuée à la défense intéressée de
leurs privilèges. En réalité, des clivages se produisirent
dès les premières réunions de l'Assemblée : si les magistrats des cours souveraines et les représentants du clergé
se montrèrent hostiles, la noblesse d'épée accueillit
avec enthousiasme le programme du ministre. Sur
le problème de la subvention territoriale — donc de la
suppression du privilège fiscal — la majorité des bureaux
de l'Assemblée, animée par la noblesse d'épée, se prononça favorablement. Si les représentants des cours
souveraines et des Pays d'État repoussèrent le projet,
ce fut au nom de la nécessité d'un consentement de
l'impôt par les États Généraux. Quant aux assemblées
provinciales proposées par Calonne, leur principe fut

accueilli avec satisfaction par la majorité des notables, mais les modalités du projet rencontrèrent une double critique. D'abord la *composition* de ces assemblées. Dans son réformisme niveleur, Calonne avait prévu une absence totale de distinction entre les ordres. Seuls, les propriétaires, quelque fût leur statut juridique, devaient y siéger. Or même l'opinion la plus libérale et la plus éclairée n'était pas prête à franchir ce pas. Les notables du tiers état approuvèrent La Fayette quand il déclarait : « Le système d'une monarchie ne doit pas être uniquement populaire. » Et l'abbé Morellet écrivait à Lord Shelburne : « Il y a quelques amis de la liberté parmi nous qui ont pensé que le saut était trop grand. » D'accord pour accorder au tiers état la moitié ou les deux tiers des sièges dans ces assemblées, les notables, comme l'opinion, ne consentaient pas à priver la noblesse des préséances que le sang et l'Histoire lui assignaient. D'autre part le *rôle* de ces assemblées était dans le projet du ministre, singulièrement restreint. A la différence de celles qu'avait créées Necker à Bourges et à Montauban, elles n'auraient eu qu'un rôle consultatif. La méfiance des hommes du roi à l'égard du système représentatif transparaissait dans le plan de Calonne. Or l'acceptation des réformes était subordonnée à l'horreur du despotisme. Comme devait l'écrire Tocqueville, « la haine et l'arbitraire parut donc un moment la passion unique des Français ».

• On comprend, dans ces conditions, les raisons de l'échec de Calonne et de son renvoi (mai 1787). Plus que la défense aveugle des privilèges contre un réformateur audacieux, joua la vigilance soupçonneuse des notables à l'égard d'un haut fonctionnaire réticent à jouer le jeu de la participation. L'échec de Calonne était celui du réformisme autoritaire. L'heure était au libéralisme.

II. — LOMÉNIE DE BRIENNE :
L'ÉCHEC DU LIBÉRALISME ÉCLAIRÉ

Le ministère Loménie de Brienne fut sans doute le plus grand ministère du XVIIIe siècle. Son seul tort fut de venir trop tard, à un moment où toutes les contradictions affleuraient au grand jour. On doit distinguer trois phases dans cette courte gestion.

1. *1ᵉʳ mai - 2 juillet 1787*

Nommé chef du Conseil Royal des Finances le 1ᵉʳ mai 1787, Loménie de Brienne exerça en fait les fonctions de Premier ministre. Il n'eut jamais les mains entièrement libres, car il devait composer avec les autres ministres partisans de mesures autoritaires et la situation financière l'obligea à des concessions malheureuses. De plus Louis XVI ne le soutenait qu'avec une résignation maussade. Mais il était profondément acquis au libéralisme et, dans la première phase de sa gestion, bénéficia de l'appui de tout un secteur de l'opinion éclairée.

Obligé, comme Calonne, de s'attaquer au déficit de l'État, il présenta aux notables des projets d'emprunts et d'économies. Les notables les repoussèrent, non par refus de payer mais par crainte d'être associés dans l'opinion à une opération visant à ajourner le *contrôle* de l'impôt. C'est ainsi que le deuxième Bureau de l'Assemblée demanda la création d'un comité de cinq citoyens chargé de vérifier les comptes du Contrôle général des finances. Louis XVI refusa catégoriquement cette demande. Alors La Fayette réclama ouvertement la convocation d'une Assemblée nationale. En partie spontanément, en partie sous la pression de l'opinion, les notables subordonnaient les réformes au contrôle du pouvoir. La clef des réformes n'était plus technique mais politique et constitutionnelle. Un libelliste écrivait : « Les Notables ont montré que la Nation existait encore. » Brienne dut dissoudre l'Assemblée (25 mai).

Mais il s'attacha tout de suite à un programme de réforme administrative dont l'importance politique ne doit pas être négligée. L'édit du 17 juin donnait satisfaction au vœu des notables. Il créait la pyramide d'assemblées prévue par Calonne, en maintenant la structure d'ordres, en doublant la représentation du tiers état (qui aura autant de voix que les deux autres ordres réunis) et surtout en confiant à ces assemblées des responsabilités importantes : non seulement la police économique mais la répartition et la perception des impôts. C'était une révolution, un véritable transfert de pouvoirs des gens du Roi aux notables. Morellet en saisit bien la signification : « Le Roi se détache de la prérogative dont lui et ses prédécesseurs ont joui en fait, depuis deux siècles, d'administrer le royaume seul et

par des mandataires et dépositaires de son autorité. »
Dans l'esprit de Brienne ces assemblées provinciales
serviraient ultérieurement à réunir une véritable assemblée nationale rénovée. S'il s'opposa aussi longtemps
qu'il le put à la convocation des États Généraux, c'est
parce qu'il voulait y substituer cette forme moderne
de représentation nationale. Dans l'immédiat, cette
réforme suscita l'enthousiasme, notamment dans la
noblesse de province écartée de toute participation depuis
si longtemps (43). Un auteur anonyme écrivait : « On
sera enfin quelque chose loin de la capitale; les bons
esprits pourront s'exercer utilement; l'émulation aura
un aliment; la Noblesse des campagnes et des villes
acquerra de l'activité. Les Grands y reparaîtront,
après 150 ans, pour y répandre, y recevoir des lumières...
Le Ministre qui les rend au Peuple et à leurs patri-
moines aura la gloire d'avoir porté à sa réflexion le
grand ouvrage de Richelieu : celui-ci les en détacha pour
qu'ils cessassent d'en être les tyrans et les fiers rivaux
de l'autorité souveraine.. Richelieu, par l'attrait du
trône, en fit des sujets courtisans, le moment était
venu d'en faire des sujets citoyens. »

Malheureusement, comme l'a encore montré Jean
Egret, cette noblesse de province allait se mobiliser
contre le ministère à cause de sa politique conservatrice
concernant l'armée. Il faut rappeler (44) que l'accès
aux grades d'officiers ne divisait pas seulement noblesse
et tiers état (le règlement du 22 mai 1781 imposait
quatre quartiers de noblesse aux futurs officiers) mais
noblesse de cour (« présentée » au roi) et noblesse de
province : seule la première accédait directement au
grade de colonel. Chargé par Brienne de réformer
l'armée, Guibert maintint, malgré ses convictions per-
sonnelles, cette barrière. Un grand mouvement de pro-
testation se déchaîna chez les gentilshommes de province contre la Cour et ses privilégiés. Il contribue
à expliquer le climat dans lequel va se dérouler la révolte
des provinces et l'isolement progressif du ministère
Brienne.

2. *Juillet 1787 - mai 1788*

A court terme, ce fut le problème financier qui réveilla
l'opposition parlementaire et mobilisa les mécontentements. Dès le 2 juillet, le Parlement de Paris repoussa

les édits fiscaux de Brienne. Le 26, la majorité des conseillers exprimait publiquement le vœu que le Roi convoque les États Généraux. Les Parlements (Paris et province) formulaient maintenant d'une façon très claire l'idée que le consentement de l'impôt par la nation était une loi fondamentale. Même enregistrés en lit de justice, les édits étaient « incapables de priver la nation d'aucun de ses droits et d'autoriser une perception qui serait contraire à tous les principes, maximes et usages du royaume ». Le 3 mai 1788, le Parlement arrêtait que la loi fondamentale était « le droit de la nation d'accorder librement les subsides par l'organe des États Généraux régulièrement convoqués et composés ». C'était une véritable subversion des fondements traditionnels et des pratiques du système, mais au nom du passé. Comme l'écrira Tocqueville, « c'est un spectacle étrange de voir des idées qui ne faisaient que naître ainsi enveloppées dans ces langes antiques ».

On a souvent dit que cette subversion parlementaire, dictée par le refus des mesures fiscales, était inspirée par des intérêts étroits, mesquins et rétrogrades. Pourtant, comme l'a prouvé Jean Egret, l'opposition parlementaire réunissait de vieux magistrats conservateurs et de jeunes conseillers sincèrement acquis au libéralisme et aux réformes. Dans son ensemble (et mis à part Condorcet qui restait fidèle à Brienne), l'opinion libérale soutenait, sans illusion, l'action du Parlement et sa demande d'États Généraux. Morellet lui-même, chaud partisan de Brienne, écrivait : « Il nous faut une barrière au retour des abus; il nous faut des États Généraux ou l'équivalent. » Dans un très lucide Mémoire adressé au roi en 1787, Malesherbes, alors ministre d'État, affirmait : « C'est le Parlement qui parle, parce que c'est le seul corps qui ait le droit de parler, mais il ne faut pas se dissimuler que si aucune Assemblée de citoyens avait ce droit, elle en ferait le même usage. C'est donc à la nation entière que l'on a affaire; c'est à la Nation que le Roi répond quand il répondra au Parlement. »

Brienne, on l'a vu, ne voulait pas d'États Généraux tant que la formation de ses assemblées provinciales ne permettait pas la réunion d'une assemblée nationale moderne. Louis XVI écrivait : « L'idée de former des États Généraux perpétuels est subversive de la monarchie. » Au ministère, les partisans de la manière forte l'emportèrent. On revint alors aux procédés de Maupeou, mais dans la conjoncture la plus défavorable.

3. *Mai - Août 1788*

Le 8 mai 1788 le garde des sceaux Lamoignon priva, par un édit, le Parlement de Paris de son droit d'enregistrement, qui était transféré à une Cour Plénière de notables en grande partie désignés par le Roi. Ce « coup d'état Lamoignon » suscita pendant l'été 1788 une révolte générale des provinces, qu'on a baptisée sommairement « révolution aristocratique » ou, d'une façon plus erronée encore « contre-révolution nobiliaire ». Comment réagit l'opinion ? Il faut distinguer, semble-t-il, l'attitude des états-majors et celle des troupes.

Au niveau du « leadership », l'échiquier politique se présentait d'une façon assez tranchée. La meilleure description en fut donnée, le 25 mai, par l'avocat Godard : « Il y a maintenant dans le Royaume et à Paris trois partis : celui des Royalistes, celui des Parlementaires, et celui des Nationaux. Ces deux derniers font cause commune. Les Nationaux espèrent que cette alliance sera longue et qu'à son retour, le Parlement, instruit par cette crise, conservera les bons principes. » Ce petit texte appelle un commentaire. Les Royalistes ? Ce terme même, employé dans un pays où nul ne mettait en cause l'institution monarchique, est hautement significatif : il désigne les hommes du roi, ces remarquables et souvent modernes exécutants, qui sombrent, en cet été de défoulement collectif, dans la panique, la démission ou l'inefficace raidissement. Ces agents du pouvoir de mai 1788 eurent les mêmes comportements que les maîtres de l'Université française en mai 1968, ils ne se sentaient plus protégés par leurs fonctions ni leur toge. Les Parlementaires ? Ils crièrent, bien entendu, à l'« inconstitutionnalité » des édits Lamoignon, réclamèrent la convocation immédiate des États Généraux, résistèrent par la force, notamment en Bretagne, aux décisions du pouvoir. L'important n'est pas là, mais dans la naissance de ce « parti national » et dans les raisons de son soutien de la cause parlementaire. Sous le nom de « nationaux », on commençait à ranger ces libéraux de progrès, partisans de réformes mais surtout d'un système représentatif, qu'on rencontrait à la fois dans la noblesse et dans le tiers état. Certains d'entre eux — Condorcet et Mirabeau notamment — s'inquiétaient avec lucidité de ce que pouvaient contenir d'équivoque les revendications parlementaires : entre les projets éclairés mais non immédiatement réalisables de Brienne et une opposition où le radicalisme était englué d'archaïsme, leur embarras était grand. Condorcet, jusqu'alors inconditionnellement lié à Brienne, désapprouvait le « coup d'état », mais refusait de se joindre aux Parlements et de revendiquer les vieilles formes de représentation : « Je ne puis, écrivait-il, applaudir à une demande vague d'États Généraux, sans paraître m'embarrasser ni de leur forme ni de la bonté des résultats. » Mais cette abstention était le fait d'une minorité. Ni Condorcet ni Mirabeau ne donnent le ton des Nationaux entre mai et août 1788. L'immense majorité d'entre eux soutenaient sans illusion les Parlements contre la Cour Plénière. La Fayette écrivait à Washington : « Les Parlements, malgré leurs inconvénients, ont été des champions nécessaires à mettre en avant. » Et le jeune avocat dauphinois Barnave lançait le mot d'ordre du combat : « Unissez-vous, ralliez-vous tous au parti de la magistrature! » Ce qui était nouveau, par rapport aux années antérieures, et allait se cristalliser les mois suivants, c'était la conscience — qui apparaît dans le texte de Godard — que cette alliance entre Parlementaires et Nationaux était fragile, et qu'elle n'impliquait aucune subordination des seconds aux premiers.

Du reste le comportement des « troupes » n'obéit pas tout uniment aux mots d'ordres des leaders : il traduit les contradictions accumulées. En Bretagne et au Béarn, où la petite noblesse pléthorique avait durement ressenti le conservatisme de Guibert, elle soutint activement et massivement la révolte des Parlements. En Dauphiné, le tiers état domina l'assemblée de Vizille (21 juillet) et réclama le doublement du tiers et le vote par tête. Ailleurs la noblesse de race, satisfaite par les assemblées promises par Brienne, soutint mollement la cause des Parlements et le tiers état ne s'engagea que rarement. On a le sentiment d'une grande hésitation devant l'engagement dans un combat équivoque.

Mais la crise financière obligea le gouvernement à capituler devant la conjonction des mécontentements. Le 8 août, on annonça la convocation des États Généraux pour le 1ᵉʳ mai 1789. Le 16, c'était la banqueroute de l'État. Le 24, Brienne était renvoyé et remplacé par Necker. En septembre, Lamoignon sera désavoué et les Parlements rétablis. On saisit les raisons de cet échec. Si, malgré Brienne, on n'avait pu désunir les éléments de la coalition adverse, c'était parce que *cette coalition n'était pas un simple cartel accidentel et trompeur, mais reposait, malgré des intérêts divergents, sur la revendication commune du contrôle du pouvoir.*

III. — NECKER : L'IMPUISSANCE DE L'EMPIRISME

Dès ses débuts, le ministère de Necker — l'homme providentiel que réclamaient les créanciers de l'État — fut soumis à deux problèmes redoutables : sous quelle forme seront réunis les États Généraux? Quelles seront les modalités de leurs votes? Le tiers état n'aura-t-il, comme en 1614, qu'un tiers des députés? Votera-t-on, comme en 1614, par ordre (ce qui anéantit le poids du Tiers) ou par tête? L'arrêt du 5 juillet 1788 appelait tous les citoyens à se prononcer : ce fut l'occasion d'un extraordinaire foisonnement de libelles et de brochures. Le trait dominant de ces quelques mois qui précédèrent l'ouverture des États Généraux fut le déroulement d'un *combat triangulaire* : unis contre le despotisme, « aristocrates » et « nationaux » (ou « patriotes ») luttèrent impitoyablement les uns contre les autres autour de la forme des États Généraux. Comme ces luttes annoncent et préfigurent celles de la période révolutionnaire, comme elles ont été trop souvent interprétées de façon schématique, il n'est pas inutile de nous y attarder. On retiendra quatre problèmes : la scission entre « aristocrates » et « nationaux », le programme des « aristocrates », celui des « nationaux », le choix de la monarchie.

• Déjà en germe sous Brienne, la scission fut consommée entre septembre et novembre 1788. Le 25 septembre, un arrêt du Parlement de Paris exigeait que « les États Généraux... fussent régulièrement convoqués et composés, et ce suivant la forme observée en 1614 ». A nouveau réunie par Necker en novembre, l'Assemblée des Notables se prononça majoritairement pour le maintien des formes anciennes. Dès lors se déchaîna contre Parlementaires et Notables la colère des patriotes. « Jamais révolution dans les esprits ne fut plus prompte », écrivait un observateur. S'agissait-il d'une guerre entre la bourgeoisie et la noblesse? On l'a souvent affirmé ou laissé entendre en se fondant sur les lignes écrites par Mallet du Pan en janvier 1789 : « Le débat public a changé de face. Il ne s'agit plus que très secondairement du roi, du despotisme, de la Constitution : c'est une guerre entre le tiers état et les deux autres ordres. » Il faut y voir de plus près.

● Notons d'abord que le programme des « Aristocrates » — et ce mot prend maintenant la signification plus politique que sociale qu'il conservera pendant la Révolution — ne restait pas moins libéral que dans les années précédentes. Le 5 décembre un arrêté du Parlement de Paris, rédigé par Duval d'Espremenil, s'en rapportait, en ce qui concernait le nombre des députés, à la sagesse du roi « sur les mesures nécessaires à prendre pour parvenir aux modifications que la raison, la liberté et la justice, et le vœu général peuvent exiger ». Dans ses « Réflexions d'un magistrat » le même d'Espremenil éclaire ses positions : abandon des privilèges pécuniaires de la noblesse, renforcement de la représentation du tiers état, mais maintien des « justes prérogatives de la noblesse et du clergé ». Le 22 décembre, le Parlement de Paris rappelait « le vœu formel de la Cour pour l'entière suppression des exemptions pécuniaires ». De leur côté les ducs et pairs et les princes du sang renonçaient solennellement aux privilèges fiscaux, tout en défendant la hiérarchie des ordres. Ainsi se précisait le programme du parti « aristocrate ». Programme conservateur, dans la mesure où il refusait la substitution d'une élite fondée sur la propriété à celle qu'assurait la naissance. Programme libéral, dans la mesure où il ne renonçait pas aux objectifs essentiels : « La liberté individuelle, la liberté de la presse et la liberté politique : ou nous obtiendrons ces trois points pour la nation, ou nous périrons. » Ce libéralisme conservateur aura la vie longue : on le retrouvera dans l'émigration, puis chez les légitimistes de la monarchie censitaire du XIXe siècle. Rien ne serait plus faux, on le voit, que d'imaginer des féodaux arc-boutés sur leurs privilèges.

● De son côté le parti national se mobilisa contre le Privilège. Évitons ici les contresens. Le Privilège, c'était le réseau de particularismes locaux et corporatifs dont était constitué l'Ancien Régime. Rempart de la liberté en l'absence de toute autre forme de représentation, il cessait de remplir des fonctions positives au moment où la nation allait être consultée. C'est ce qu'écrivait Mirabeau : « Guerre aux privilégiés et aux privilèges, voilà ma devise. Les privilèges sont utiles contre les Rois, mais ils sont détestables contre les Nations. » Mais la lutte contre le Privilège n'impliquait nullement la lutte contre la noblesse. Non seulement le « brain trust » du parti national comptait dans son sein des gentilshommes de haut rang, mais les leaders du tiers état distinguaient les « prérogatives légales » de la noblesse (qu'ils refusent) et ses « préséances » qu'ils considèrent comme historiques, naturelles et justes. Pour le parti national, la noblesse doit couronner la nouvelle société des propriétaires fonciers. A peine est-il besoin d'ajouter que cet idéal n'a rien d'égalitaire, au sens où l'entend notre XXe siècle, ou plutôt que l'égalité était perçue à l'intérieur du monde des notables. Condorcet a fort bien exprimé cette idée : « Le droit d'égalité n'est pas blessé si les propriétaires seuls jouissent du droit de cité, parce qu'eux seuls possèdent le territoire, parce que leur consentement seul donne le droit d'y habiter ; mais il est blessé si le droit de cité est partagé inégalement entre différentes classes de propriétaires parce qu'une telle distinction ne naît pas de la nature des choses. » Ainsi s'opposèrent deux conceptions de l'élite qui allaient lourdement peser sur la France révolutionnaire, impériale et censitaire : une élite « fermée », fondée sur le sang et l'histoire, ou une élite « ouverte » à la propriété, à la richesse et aux talents. Deux formes du libéralisme. Ajoutons qu'en dépit de l'assertion de Mallet du Pan, ce combat n'a pas affaibli ni atténué la lutte contre l'absolutisme ; mais cette lutte était déjà à moitié gagnée.

• La monarchie dut se prononcer sur la forme de convocation des États Généraux. Le « *Résultat du Conseil* » du 27 décembre 1788 présente les concessions extrêmes que pouvait consentir Louis XVI et les limites qu'il n'entendait pas franchir : c'était pour lui un programme maximum, qu'il reprendra dans le célèbre discours du 23 juin 1789 que Georges Lefebvre considérait à juste titre comme son testament politique. Concessions au libéralisme : les citoyens participent à l'administration du royaume dans les États Provinciaux généralisés et dans les États Généraux régulièrement convoqués ; liberté individuelle et liberté de la presse seront garanties. Par contre le Roi tranche nettement en

faveur des forces conservatrices : il accorde au tiers
état le doublement de sa représentation (ce que bien des
« aristocrates » acceptaient), mais en précisant qu'elle
n'impliquait pas la délibération en commun, sauf
pour l'examen des problèmes financiers. *C'était un choix,
non un arbitrage.*

* **

En mai 89, quand s'ouvrent à Versailles les États
Généraux, la victoire contre l'absolutisme est déjà
plus qu'à moitié remportée. Mais la scission qui s'est
produite dans les derniers mois entre les vainqueurs
annonce des conflits durables. Ces conflits s'accompa-
gneront du réveil d'autres forces longtemps exclues du
système en voie de démolition : paysannerie, prospère
ou pauvre, avide de propriété et haïssant la ville, classes
inférieures urbaines depuis peu gagnées à certaines formes
élémentaires de culture. Un survol rapide du bilan de
trois siècles d'Histoire s'impose à qui veut comprendre
ces phénomènes.

NOTES ET BIBLIOGRAPHIE DU LIVRE III

(1) Pierre MESNARD. — L'essor de la philosophie politique au XVIe siècle, Paris, Vrin, 1952.

(2) Roland MOUSNIER. — L'assassinat d'Henri IV, Paris, Gallimard, 1964.

(3) Denis RICHET. — Article cité page 61, note 6.

(4) Voir pages 44-45.

(5) Charles LABITTE. — De la démocratie chez les Prédicateurs de la Ligue, Paris, Durand, 1866.

(6) Voir page 112.

(6 bis) Hubert Carrier doit publier prochainement les résultats d'une etude exhaustive sur les mazarinades. Dans le cadre de mon séminaire de l'E.P.H.E. une enquête collective est en voie d'achèvement.

(7) Voir page 112.

(8) TOUCHARD. — Livre cité page 62, note 37.

(9) KOSSMANN. — Cité page 121, note 15.

(10) PORCHNEV. — Cité page 16, note 13.

(11) O. LUTAUD. — Les Niveleurs, Cromwell et la République, Paris, Julliard, (Collection « Archives » 1967).
Les niveleurs : article de la Revue historique, 1962.

(12) Paul HAZARD. — La Crise de la conscience européenne à la fin du XVIIe siècle, Paris, Alcan, 1935.

(13) Pierre CHAUNU. — La Civilisation de l'Europe des Lumières, Paris, Arthaud, 1971.

(14) Franck PUAUX. — Les Défenseurs de la souveraineté du peuple sous Louis XIV, Paris, Hachette, 1917.

(15) Voir page 130.

(16) Excellent livre d'Elie CARCASSONNE. — Montesquieu et l'idée de constitution au XVIIIe siècle.

(17) Article reproduit dans le recueil cité page 15, note 1.

(18) ROTHKRUG. — Livre cité page 123, note 61.

(19) H. LUTHY. — La Banque protestante en France de la

Révocation de l'Édit de Nantes à la Révolution, Paris, S.E.V.-P.E.N., 1959.

(20) CARCASSONNE. — Cité note 16.

(21) TOUCHARD. — Livre cité page 62, note 37.

(22) A. SOBOUL. — La Civilisation de la Révolution fránçaise, Paris, Arthaud, 1970.

(23) A. DUPRONT. Art, littérature et Société au XVIIIᵉ siècle, Paris, C.D.U., 1963.

(24) Voir page 103.

(25) RICHET. — Cité page 61, note 6.

(26) Ces renseignements m'ont été fournis par M. F. Furet.

(27) Excellentes études de Louis Althusser : Montesquieu, Paris, P.U.F., 1959 et de R. Aron dans : Les étapes de la pensée sociologique, Paris, Gallimard, 1965.

(28) Voir page 140.

(29) Livre cité note 16.

(30) Jean EGRET. — Livre cité page 62, note 20.

(31) Voir page 32.

(32) Voir page 33.

(33) P. GAXOTTE. — Le siècle de Louis XV, Paris, Fayard (réédition 1958).

(34) Edgar FAURE. — La disgrâce de Turgot, Paris, Gallimard, 1962.

(35) P. GAXOTTE. — Cité note 33.

(36) MOUSNIER. — Recueil cité page 14, note 1.

(37) F. BLUCHE. — In « Bulletin de la Société d'Histoire Moderne », Paris, janvier 1957.

(38) E.G. LÉONARD. — L'Armée et ses problèmes au XVIIIᵉ siècle, Paris, Plon, 1958.

(39) Voir page 165.

(40) A. MATHIEZ. — La Révolution française, Paris, A. Colin, 1935.

A. SOBOUL. — La Révolution française, Paris, Éditions Sociales, 1950.

(41) Jean EGRET. — La Prérévolution française, Paris, P.U.F., 1962. Cet excellent livre a fourni l'essentiel de ce dernier chapitre.

(42) Voir page 96.

(43) Voir page 103.

(44) LÉONARD. — Cité note 38.

CONCLUSION

RÉVOLUTIONS ET CONTRE-RÉVOLUTIONS

Comme tout mouvement révolutionnaire, celui qui secoua la France à partir de 1789 fut à la fois l'enfant du progrès et des rançons de ce progrès. Sa genèse ne peut être suivie seulement dans les péripéties du court terme : ni la crise de 1787-89 ni même le demi-siècle des Lumières n'emprisonnent dans leurs barreaux une évolution qu'on a tenté, dans ce petit livre, de retrouver à travers un système politique, social et culturel triséculaire. Seule l'intelligence de ce système permet d'expliquer pourquoi il y eut en France non *une* révolution ni *une* contre-révolution, mais *des* révolutions et *des* contre-révolutions; comment les rapports de la société civile et de l'État n'obéirent pas à cette rigoureuse simplicité que connurent, en des sens opposés, l'Angleterre et la Prusse.

Dès l'origine, une frontière séparait, en France comme ailleurs, le monde des dominants et celui des dominés, le cercle étroit des élus de l'administration et de la participation et la masse des exclus, les bénéficiaires de la rente foncière et les damnés de la terre. L'action décisive de la monarchie française, dictée par les circonstances mais s'intégrant dans la grande révolution culturelle des élites, modifia insensiblement les équilibres respectifs.

Au niveau des dominants, un moment groupés de part et d'autre d'une grande limite politico-religieuse, puis cloisonnés dans leurs intérêts de corps, atomisés dans des choix politiques sans débouchés, confinés dans des horizons intellectuels étroits, la monarchie favorisa, sans l'avoir voulu, de nouveaux regroupements dont elle devait mourir. Ces regroupements ne correspondirent que très secondairement à des intérêts de classes ou à des privilèges d'ordres : ce fut par rapport au système absolutiste, à ses pratiques et à son évolution que se produisirent les clivages essentiels. Trois forces se dessinèrent lentement.

Les hommes du Roi : un corps remarquable de fonctionnaires et d'exécutants, appartenant au même milieu social, aux mêmes familles, au même moule culturel que les robins, mais s'en distinguant par un sens rigoureux, autoritaire et parfois niveleur du service de l'Etat. Ce furent les grands vaincus de 1789. Ne pleurons pas sur eux : ils auront leur juste revanche sous le régime impérial et la monarchie censitaire. Dans l'immédiat pourtant se réalisa contre eux, dans une même soif de liberté et de contrôle du pouvoir, la conjonction de deux mécontentements. Mécontentement de l'échec et de l'amertume. Mécontentement de la réussite et de la certitude de l'avenir.

Dans les provinces, loin de Versailles et de Paris, tout un cercle de propriétaires — souvent, mais non exclusivement de sang noble — avait été progressivement écarté des formes traditionnelles de la participation, exclu des hautes reponsabilités du service du Roi. Ils n'avaient pas oublié les temps antérieurs, avant Richelieu et Louis XIV. Ils partageaient le Credo optimiste des hommes des Lumières. Ils vécurent en 1788 l'année du grand espoir. Dès 1789, ce fut le désenchantement et la division. Une partie d'entre eux choisira la Contre-Révolution, d'autres l'émigration intérieure, beaucoup, cependant, profiteront des institutions nouvelles (au niveau du canton et du département) pour réoccuper silencieusement, notamment sous l'Empire, les places que leur conférait leur notabilité.

Les véritables vainqueurs de 1789 venaient d'un autre horizon : celui de Paris et des grandes villes. Fortes d'un acquis culturel plus que séculaire, enrichies, nourries et élevées par la monarchie, ces élites, nobles et roturières, ne supportaient plus d'être confinées dans la passivité politique. Elles firent sauter le système et consolideront leur victoire au cours du XIXe siècle. La Révolution française fut avant tout leur révolution : celle du libéralisme et des Lumières.

**

Elle ne fut pas la seule. La barrière entre dominants et dominés s'était imperceptiblement déplacée. L'immense effort d'acculturation mené depuis deux siècles par l'Église, l'État et les élites spirituelles provoquait deux résultats contrastés mais conjugués : l'accès d'une partie toujours plus large des classes inférieures à une nouvelle culture, des traumatismes dus à l'extirpation brutale de l'ancienne. Tout progrès est en même temps répression et oppression. Toute acculturation est déculturation. Il se produisit en deux siècles un processus comparable à celui qu'entraîna la colonisation européenne en Afrique aux XIXᵉ et XXᵉ siècles.

La longue résistance des masses à la destruction de leur équilibre ancestral avait été brisée dans le dernier tiers du XVIIᵉ siècle et le premier tiers du XVIIIᵉ. Elle survivait à l'état de nostalgies et de fantasmes, comme un flot contraint à un cours souterrain. Ce courant resurgira avec vigueur chez les sans-culottes parisiens comme chez les paysans chouans. Mais la nouvelle culture, sous des formes diverses, avait porté ses fruits. Plus largement alphabétisé, au contact, par ses strates supérieures, de la civilisation des élites, le peuple de 1789 ne ressemblera plus qu'imparfaitement à ses ancêtres de la Ligue ou des séditions aveugles contre le fisc. Relié par mille courroies de transmissions (des missionnaires de la Réforme catholique à la sous-intelligentsia laïque des villes) aux valeurs opposées des milieux dominants, il trouvera dans leurs idéologies en guerre les expressions adéquates de ses intérêts et de son destin futur.

Ces intérêts étaient divers, souvent aussi opposés. Si bien que le même processus (acculturation/déculturation) aboutit à trois types de réponse politique. Réponse urbaine, très massivement favorable à la révolution. Sans doute le sans-culottisme sera-t-il un phénomène spécifiquement parisien. Mais la plupart des villes (surtout celles de l'Ouest, menacées par la marée paysanne) seront, à l'époque révolutionnaire, le creuset où se forgera le mouvement républicain du XIXᵉ siècle. Une autre révolution, ancrée dans le passé et projetée vers l'avenir, à la fois rêve et prophétie, traversait ainsi la révolution des Lumières. Réponse paysanne minoritaire, violemment et prioritairement anti-urbaine : le cas extrême sera celui des bocages prospères et dynamiques de l'Ouest (1). Autour de la terre qu'ils étaient en

(1) Voir l'excellent livre de Paul Bois : *Les Paysans de l'Ouest*, Le Mans 1966, réédition abrégée, Flammarion, 1971.

passe de conquérir avant 89, mais que leur arracheront les Sans-Dieu des villes, les paysans chouans et vendéens se mobiliseront. Contre-Révolution, si l'on veut, mais dont l'alliance avec la contre-révolution aristocratique ne doit pas masquer l'originalité fondamentale. Originalité qui survivra aux péripéties de l'époque révolutionnaire et que révéleront jusqu'à nos jours les scrutins électoraux de ces campagnes « blanches ». Réponse paysanne majoritaire, à la fois autonome mais étayée par celle des villes : celle qu'on retrouve des pays sacrifiés et pauvres du Sud et du Sud-Ouest (le pays des révoltes antifiscales) aux riches campagnes de l'Ile-de-France et du Nord. Une réponse qui s'intégrera dans le courant révolutionnaire, non sans y apporter ses colorations particulières. Comme en Vendée, l'action paysanne sera sous-tendue par une méfiance latente à l'égard des grands centres urbains et de leurs riches. Mais elle trouvera dans les couches intermédiaires des petites villes — des hommes de loi aux artisans instruits — ces « couches nouvelles » dont Gambetta saluera, avec un siècle de retard, l'avènement — les leaders qui accrocheront ses revendications à la cause révolutionnaire, et demain républicaine. Seul le suffrage universel rendra possible la fonction arbitrale de cette France rurale « bleue » puis « rouge ».

***

Avons-nous justifié nos propositions initiales ? L'esprit des institutions, c'est ce qu'elles portent en elles à la fois de reflet et de créativité, de permanences et de transformations. Seule une analyse portant sur le long terme permet de le saisir. Notre conviction est que l'histoire strictement sociale est à la fois impossible et stérile. Deux types d'études, distinctes mais complémentaires, permettent seuls d'éclairer notre passé. Une étude *économico-sociale*, destinée à scruter l'anatomie et la physiologie des groupes en fonction de leur place dans les grandes catégories macro-économiques : la production, la consommation, le profit, la rente, le salaire. Nous y consacrons un autre ouvrage. Une investigation qui se situe à la *convergence du politique, du social et du culturel :* c'est ce qui a été tenté ici.

INDEX DES NOMS D'AUTEURS
CITÉS DANS LES NOTES BIBLIOGRAPHIQUES

TABLE DES MATIÈRES

Chapitre 2

Lois fondamentales ou régime constitutionnel ?
Les ambiguités de l'absolutisme

Livre II

LA PRATIQUE DU SYSTÈME

Chapitre I

Temps forts et temps faibles

Chapitre 2

Ceux qui gouvernaient

Chapitre 3

Ceux qui participaient

CHAPITRE 4

CEUX QUI CONTESTAIENT

LIVRE III

LA CRISE DU SYSTÈME

CHAPITRE 1

LE TEMPS DES NOSTALGIES (1560-1660)

CHAPITRE 2

LE TEMPS DES OUVERTURES (1680-1750)

CHAPITRE 3

LE TEMPS DES LUMIÈRES (1750-1787)

CHAPITRE 4

NAISSANCE ET MORT DE L'ANCIEN RÉGIME (1787-1789)